오늘,

내 마음을
읽었습니다

일러
두기

1. 작성자의 원문 표기를 중시했으나, 의미 전달을 위해 맞춤법과 띄어쓰기는 국립국
어원에서 펴낸 〈표준국어대사전〉을 기준으로 삼았습니다.

2. 어라운드 애플리케이션에 게재된 콘텐츠의 사용권은 어라운드 측에 있습니다. 이
책에 사용된 콘텐츠 저작권에 대한 문의는 book@100doci.com으로 주시면 확인
후 연락드리겠습니다.

3. 도서 판매를 통한 수익금 일부는 진심 엽서 프로젝트, 마음 필사 프로젝트 후원에
사용됩니다.

꾸밈없이,
있는 그대로의 공간

오늘,

내 마음을
읽었습니다 _____ 어라운드 엮음

허밍버드
Hummingbird

여기서만큼은,
꾸밈없이

"오늘은 유독 외로운 날,
그냥 아무 말 없이 위로해 주는 친구가 있었으면……."
"우유부단함이 나의 미래를 막는 건 아닐까?
현실 조언이 필요한 시점이다."

고단한 하루의 마지막. 잠들기 전 새벽에 끄적끄적 적어 본 기록, 온전히 나만의 기록이지만 가끔은 누군가에게 보여 주고 싶었던 적 있지 않나요? 아무 말 없이 위로받고 싶은 순간, 너무 행복해서 나누고 싶은 기억 말이에요.

어라운드에는 그런 이야기와 사람들로 가득합니다. 10대의 처음 짝사랑, 20대의 꿈과 도전, 30대의 사회생활, 40~50대의 가족과 나. 강원도 철원에서 미국 로스앤젤레스까지 지역도 다양합니다. 이 책은 나이도 국경도 초월한 다양한 사람들의 일상 기록, 그 기록에 누군가 답한 것들을 엮었습니다.

어라운드는 주변에 귀 기울이고 나를 돌아보는 사람들이 온기를 나누는 공간입니다. 이 책을 통해 어라운드에 모인 따뜻한 마음을 여러분과 나누고 싶습니다.

꾸밈없이, 있는 그대로의 공간에서 진짜 나를 만나 보세요.

용기가 필요한 일입니다. 나를 기록하는 일, 다른 이의 글에 공감하는 일 모두요. 작가가 되어야만 가능할 것 같아요. 알아요, 용기가 필요하다는 걸요. 그래서 어라운드는 이렇게 말합니다. "공감할 수 있다면 우리 모두 작가예요"라고.

어떤 이야기도 좋아요. 이 책을 통해 공감했다면, 그리고 당신의 이야기를 끄적였다면 그때부터 우리는 모두 작가입니다.

2016년 9월 새벽

어라운드 팀

AROUND Story
있는 그대로, 어라운드 스토리

① 어라운드를 아시나요?

어라운드는 SNS와 다이어리를 결합한 소셜 다이어리 앱입니다. 꾸밈없이 자신의 얘기를 일기처럼 적고, 다른 사람과 소통합니다. '출퇴근길 에피소드', '짝사랑 설렘'부터 '직장 생활의 고단함' 같은 묵직한 이야기까지……. 솔직한 나의 일상을 기록하고 주변 사람과 나누다 보면 어느새 진짜 '나'를 발견할 수 있습니다.

② 있는 그대로의 당신이 좋습니다

어라운드의 애칭은 '힐링앱'입니다. 익명이지만 욕하거나 비난하는 사람이 없습니다. 칭찬하고 위로하고 응원하는 사람들로 가득합니다. 어라운드에는 선입견 없이 다른 사람의 이야기에 귀 기울이고 솔직하게 자신을 표현하는 '존중하는 문화'가 형성되어 있기 때문입니다.

③ 우리들의 달콤한 공간, 달콤 창고를 아시나요?

한 남성분이 지하철 이용 중 어라운드를 하고 있는 여성분을 발견했다고 합니다. 그 남성은 반가운 마음에 주머니에 있는 작은 초콜릿을 하나 건넸고 그 후 둘은 각각 어라운드에 글을 남겼습니다. 그것을 본 사람들이 "좋네요, 우리도 해요!"라는 반응을 보이며 '초콜릿 운동'으로 번지게 됐습니다. 그러던 중 유학을 준비하던 여학생이 강남역 지하철 사물함에 초콜릿과 사탕, 작은 쪽지를 넣어 놓고 비밀번호를 공개해서 누구든지 꺼내 먹을 수 있도록 한 것이 달콤 창고의 시작입니다. 어라운드에서 시작된 이 작은 움직임은 삶에 지친 청년들을 위한 대표 공간으로 다양한 매체를 통해 보도된 바 있습니다.

연세대 달콤 창고

한양대 달콤 창고

중앙대 달콤 창고

강남역 달콤 창고

이 책 사용법

① 주변 사람들의 진짜 이야기를 들어 보세요

내 마음을 읽기 전에 주변 이야기에 귀 기울여 주세요. 다른 사람의 이야기를 경청하고 존중할 때 비로소 내 마음이 내는 소리도 들을 수 있어요. 순서대로 읽지 않아도 좋아요. 마음에 드는 주제가 있다면 먼저 읽는 것도 좋은 방법입니다.

② 당신의 솔직한 이야기를 적어 보세요

이제 내 마음을 읽을 차례입니다. 다른 사람들의 이야기를 읽다 보면 내 이야기를 꺼내고 싶어질 거예요. 각 파트의 끝에는 진짜 나를 만날 수 있는 질문을 마련했습니다. 오롯이 내 마음의 소리에 집중하다 보면 있는 그대로의 나를 만날 수 있을 거예요.

01

오늘은, 여기서 조금 쉬다 가요

02

서툴러도, 사랑을 멈추지 말아요

아침 인사를 건네 봐요.
내가 먼저 인사하며
새롭게 하루를 시작해 봐요.
오늘 당신이 머무르는 곳,
당신이 만난 누군가와 함께
행복해질 수 있어요.

01

오늘은,
여기서 조금 쉬다 가요

당신의 속마음은
어떤가요?

속마음이라는 게 정말 친한 친구 아니면 이야기하기 힘들잖아요.
아니, 친한 친구에게도 말하기 힘든 속마음도 있지요.
바로 그런 크고 작고, 혹은 위험한 속마음들을 그대로 드러냈습니다.
읽어 보세요. 단, 조심스럽게! 아무에게도 들키지 말고!
그리고 당신의 속마음에 귀 기울여 보세요.

먼저, 귀 기울여 주세요

가끔 사람들이 알고 있는
나는 내가 맞나? 하는 생각이 든다.
솔직하게 내 마음을
표현할 수 있는 날이 오긴 올까?
그 날이 오면 그 전날의 나는
어떻게 되는 걸까?

#속마음 #가면

주변 사람들이 잘되는 모습을 보면
왜 나는 작아 보이는 걸까?
같이 빛나고 싶은 속마음.

친구가 "헤어질까?"라고 물어보기에
"후회할 짓 하지 마!"라고 했지만
속마음은 '응, 헤어져.'

너희는 나를 친구로 생각하긴 하는 걸까? 진짜 궁금하다.
앞에서는 얘기도 잘 하고 장난도 잘 치지만
뒤에서는 나를 '까고' 있는 게 아닐까?
난 너희를 친구라고 생각하며 지내 왔는데
지금 너희가 하는 행동은 내 생각이 틀렸다고 한다.
너희의 속마음이 알고 싶다.

#진심 #속마음

엄마 나는 말하지 못하는 이야기가 너무 많아요.
평생 말할 수 없어서 죽을 때까지 안고 가야 해서
괜찮은 척 했지만 사실 버거워요.
하지 못한 말들이 나를 집어삼켜 버릴까 두려워요.

#속마음

눈에 넣어도 아프지 않을 거라던
너무나도 사랑스런 눈빛으로 날 바라보던
그대는 나의 슈퍼맨.
내 나이 열세 살 슈퍼맨은
날 지켜 줄 거라며 하늘의 별이 되었고
슈퍼맨은 항상 그 자리에,
슈퍼맨은 항상 그 기억에 멈춰 있네요.

사랑해요.
참 고마워요.
꼭 다시 만나요, 우리.
내 아빠라서 참 좋았어요.
내 아빠라서 참 고마웠어요.
우리 아빠, 사랑해요.

#보고 싶다 #부모님 #사랑합니다 #효도합시다 #속마음

셀프 자랑을
해야 하는 이유

'진짜 나'를 찾기 위해 한 번쯤 해 봐야 하는 게 있어요. 바로 셀프 자랑.
셀프 자랑이 왜 필요한지 알아요? 손발이 오글거리고
굳이 해야 할 필요성을 못 느끼는 일이라고 해도
참고 꾸준히 반복하다 보면 우리가 얼마나 성장하는지 알 수 있어요.
행복으로 가는 지름길은 바로 나에게 있습니다.
그걸 이미 알고 있는 사람들의 이야기를 들어 볼까요?

1 비만이다.

2 뚱뚱이다.

3 못생겼다.

4 비만이고 못생겼다.

5 비만이고 못생겼지만 사랑만큼은
비만적으로 줄 수 있다.

#셀프_자랑

전 사실 셀프 자랑 너무너무 좋아요.
우리나라는 스스로 겸손해야 하고 주변 사람에게도
그걸 강요하는 문화라서 마음에 안 들었어요.
자존감 회복하는 기회 되시길!

#셀프 자랑

소크라테스랑 대화 가능한 철학적 교양.
환생 좀 하세요, 스승님.

#셀프 자랑

미래의 내 남편, 보고 있나?
로또 사지 마요.
내가 당신 인생의 로또니까!

#셀프 자랑

여기저기서 스카우트를 많이 받아요.
일 년에 평균 3~4회 정도.
그런데 병간호하기도 벅차서 못해요.
실질적인 가장이라 모험은 못합니다.

#셀프 자랑

친구가 이렇게 말했다.

"내 주위에 너처럼 착한 친구가 있어서 다행이다."

친구야, 고맙다.

난 사랑받을 만한 사람이고
그 사랑을 충분히 받고 있다.

#셀프 자랑

오지랖이 넓습니다.
덕분에 남 돕기, 동물 돌보기를 잘합니다.
집안의 해결사입니다.

#셀프 자랑

그동안 여자랑 사귀어 본 적 없다.
27년 살면서…….

#셀프 자랑

아무도 모르는데 나 좀 잘생김.

이 태그를 보고 많이 고민했는데 계속 생각하니까 '꺼리'가
있네요. 결혼할 때 엄마한테 손 벌리지 않고 제 돈으로 결혼
식 하고 살림도 하고 차도 샀어요. 결혼 전에 엄마랑 고모랑
여자 셋이 제주도 여행 갔는데 그것도 제가 '쐈어요'. 결혼 축
의금은 엄마 드렸어요. 사실 돈 많이 모은 건 아니에요. 배고
프고 어려울 때 한스러워서 맛있는 것 예쁜 것 사느라 돈 많
이 썼어요. 그래도 내 돈으로 결혼하고 엄마한테 축의금 드린
게 좀 뿌듯해요.

#셀프 자랑

조그마한 프랜차이즈 카페에 점장으로 온 지 석 달째.
매장 위치가 너무 안 좋아서 문 닫으려는 상황에
투자한 금액이 아까우니 올해까지만 해 보자, 한 상태에서
내가 새로운 점장으로 오게 된 것이다.

정말 열심히 했다.
운영 방식도 바꾸고 메뉴도 바꾸고 레시피도 바꾸고…….
진짜 뭐라도 열심히 했다.
한 달, 두 달 시간이 흘러 지금은 매출이 많이 오르고
단골도 엄청나게 생기고 가게 분위기도 많이 바뀌었다.

한 달에 한 번 올까 말까 한 사장님이 어느 날 가게에 와서
고생 많았다고, 고맙다고, 앞으로도 잘 부탁한다고…….
태어나서 처음으로 백화점 상품권이라는 걸 받았다.
고생한 점장에게 주는 작은 선물이라고.
금액이 중요하지 않았다.
그냥, 힘들게 고생한 보람이 느껴졌다.
누군가 알아주고 인정해 주는 그 기분.
지난 석 달 동안 나 참 수고했다.

상품권으로 뭘 살까 고민하다가 엄마에게 선물로 드렸다.
당신 딸 열심히 잘해서 선물로 받았다고.

내색은 안 하지만 뿌듯해 하시는 엄마를 보니
한 장이 아니라 백 장 받은 기분이 들었다.
앞으로 더 열심히 해야겠다.
더 도전해야겠다. 힘내자!

#셀프 자랑

혼자 놀기,
아직 어색하다면

'술래잡기, 고무줄놀이~'
함께가 아니라면 할 수 없는 것들.
어린 시절이 가끔 그리워요.
지금은 '혼자 할 수 있는 재미난' 것들이 많아졌어요.
세상이 넓어진 만큼 놀 수 있는 것도 너무 많아요.
혼자 놀기 세상으로 당신을 초대할게요.

혼자 놀기 연습을 해야겠다.

뭘 해 볼까?

혼자 서점 가기.

혼자 운동하기.

취미 생활을 하나 만들어 볼까?

나이 들수록 같이 놀 친구가 줄어서

슬픈 건 비밀.

오전 11시에 영화 보기.

미술관에서 전시 관람하기.

시원한 카페에 앉아 라테 마시기.

맘에 드는 책 한 권 읽기.

자전거로 한강 달리기.

강아지와 공원 산책하기.

예쁜 구두 한 켤레 사기.

네일아트 받기.

동네 골목길 구석구석 여행하기.

오늘보다 더 반짝반짝 빛나는 내일의 내가 되기.

#혼자 놀기 #하고 싶은 것들

―

나 집에 가는 중인데

누구든 목소리가 듣고 싶은데

전화할 데가 없다.

너라면 더 좋을 텐데…….

#혼자 놀기

―

모처럼 일요일이라 열심히 꽃단장했는데

같이 놀 사람이 없다!

어, 어쩔……. 결국 혼자 놀아야 하는가?

시크하게 당당하게 혼자 못 노는 건 함정!

이렇게 연락처를 뒤지며 오늘도 솔로는 웁니다.

#솔로 인생 #웃픈 현실 #아니 그냥 슬픈 현실
#시크하게 혼자 놀기 #현실은 씁쓸 #놀아 줘요

―

그에게 이별을 통보받은 지 8일째.

시원한 바람을 맞으며 한적함을 즐기는 나를 발견한다.

이제야 깨닫다니.

내가 원래 혼자 놀기의 달인이라는 걸.

내가 이렇게 소중한 존재라는 걸.

마음에 평안이 찾아든다. 혼자도 즐거워!

#히히히

남자 친구와 헤어진 지 일주일째.
혼자서 할 수 있는 게 없네요.
기분이 축축 처집니다.
어라운더님들 혼자서 어떤 걸 해 보셨나요?
추천 좀 부탁해요.

Reply

잊으려고 애쓰지 마세요.
시간이 지나면 천천히
잊힙니다. 저도 남친이랑
헤어진 지 일 년이 되어 가는데
여전히 힘드네요.

운동! 운동이 최고예요.
땀 흘리다 보면 어느새 힘도
나고 예뻐지는 내 모습을 보며
조금씩 잊을 수 있어요.

저는 혼자만의 시간을
가져 보았네요…….
그래도 생각이 나더라고요.
시간이 약인 거 같아요.

가까운 데 계시네요!
울산대교 전망대에 올라가
탁 트인 경치를 보며
기분 전환하시는 건 어떨지?

일단 마음껏 슬퍼하셔야 돼요.
슬픈 거 참으면 병 되거든요.

아무 생각 없이 그냥 뭐라도
하는 게 최고예요.
혼자서라도 움직여야 함.
하지만 중요한 건 아무 생각이
없어야 한다는 거…….

슬픈 노래를 찾아 듣고
슬픈 영화나 책을 봅니다.
슬픔의 정점을 찍는 순간
그게 무뎌져요.

폰을 보지 않기 위한
처절한 몸부림.
내 성격에 뜨개질까지
했다니까.

저는 자격증을 땄어요.
자격증 따러 다니다 보니
바빠지고 시간도 잘
가더라고요.

전 영화, 만화, 음악
이 세 가지로 일주일을
'방콕'해서 지냈죠.

나만의 꿀팁
나누는 시간

슬픈 날에는 평소 참았던 배달 음식 시켜서 혼자 다 먹기.
행복을 주체할 수 없을 땐 노래방에서 소리 지르기.
힘들어서 주저앉고 싶어지면 온몸에 땀 나도록 뛰기.
기쁨은 두 배로 슬픔은 반으로 줄일 수 있는 나만의 방법,
곰곰이 생각해 보면 누구나 하나쯤 가지고 있어요.
지금 느끼는 감정과 당신이 하려는 액션을 알려 줘요.
속닥속닥. 슥삭슥삭.

알람 없이
제 시간에 일어나고 싶다면
자기 전에 베개에 대고
일어나야 하는 시간을
열 번 외치며 때립니다.

#나만의 꿀팁

다들 한 번씩 외쳐 보고 가요.

'오늘은 내가 주인공이다!'

아, 이게 진짜 오글거리는데 저는 아침에 이런 말로 시작하면

그날 하루가 엄청 잘 풀리더라고요. 그리고 저 말을 외치고

나서부터 항상 모든 일에 자신감이 생겼어요. 다들 아침에

출근하기 전이나 등교하기 전에 꼭 한번 속으로 말해 보세요.

#나만의 꿀팁

깊은 좌절감을 느낄 때나 고민에 빠졌을 때
또는 생각이 많을 때는 저녁에 시간을 내서 무작정 걸으세요.
1km를 걷다 보면 생각이 정리되고,
5km를 걷다 보면 조금씩 해답이 생각나고,
8km를 걸으면 용기와 자신감이 생긴답니다.
힘내세요, 당신은 멋진 사람입니다.

#나만의 꿀팁

먼저 고맙다는 말을 자주 해 주세요.
미안하다는 말은 자주 하지 마세요.
자신에게 미안해질 수도 있어요.
그냥 그렇더라고요.

#나만의 꿀팁

엄마 목소리 나오게
동영상 짧게 많이 찍어 두세요.

#나만의 꿀팁

20년 만에 연필을 깎았다.

20년 전 나는 열 살 꼬마였고 아버지는 고사리손으로

커터칼과 씨름하는 아들을 바라보다가 이내 걱정스러운

마음에 그것을 대신 깎아 주었다. 그럴 때마다 나는 아버지의

두툼한 손을 바라보며 '나는 왜 안 되지?' 하고 생각했다.

아버지처럼 두툼한 손을 갖게 되면 잘할 수 있을 것으로

생각하고 이후로 연필 깎는 일을 포기했다.

연필 깎는 기계가 대신해 주어서 굳이 할 필요도 없어졌다.

20년이 지나서 우연히 연필을 선물받았다.

어린 시절의 기계가 있을 리 만무한 사무실에 앉아서

커터칼을 들고 연필을 깎았다. 꽤나 그럴듯하게 깎였다.

가만 생각해 보니 어린 시절의 내가 연필을 잘 깎지 못한

이유는 손이 작거나 두툼하지 않아서가 아니었다.

연필을 깎는 과정을 이해하지 못했기 때문이었다.

연필에 칼을 댔을 때 나는 단번에 어린 시절의 기억이 났다.

칼을 너무 세게 대서 나무가 깊게 파일 걸 알면서도 나는

억지로 힘을 주었다. 하지만 이제는 연필을 깎는 과정을

이해한다. 억지로 한다고 될 리 없다는 것을 안다.

예쁘게 잘 깎인 연필은 힘을 주어 빨리 깎는다고

되는 게 아니라는 것을.

그 사실을, 이제는 안다.

#나만의 꿀팁 #연필 깎는 법 #아버지 #이해

당신의 가방을
열어 보세요

가방에 매일 넣어 다니는 물건이 있나요?
예전에는 노트나 연필, 손수건이었다면
이제는 태블릿, 충전기, 이어폰으로 바뀌지 않았나요?
가방 안에 어떤 것이 들어 있는지 말해 줘요.
그럼 당신이 어떤 사람인지 말해 줄게요.

만년필 두 개
검정 볼펜 하나
지갑 세 개(지폐, 동전, 명함)
자동차 열쇠
USB 메모리 카드
수첩
립밤

#나 여자 맞나?

다 필요 없고 남친 포장해 갈 공간만 남았어요.
어서 오세요. 고이 싸매 드리지요!

#inmybag #나도 한번

내 가방은 텅텅 비었지!
왜냐하면 시험을 보고 왔기 때문이지!
아, 마음이 너무 가볍다. 호롤롤로~

#inmybag #나도 한번 해 볼까

해외 유학생이라 살짝 특이한 것 같네요. 오늘 챙긴 것들!
맥북, 마우스, 충전기, 이어폰, 지갑, 학생증, 필통, 노트 한 권,
학습지 두 장, 밴드 악보, 피콜로 파우치, 공학용 계산기,
축구 유니폼, 일회용 렌즈, 축구화, 다이어리, USB, 초콜릿,
사과, 물…… 으아, 저 고등학생 맞아요? 여담으로 마우스는
방과 후 게임을 위해 존재한다는……. 하루 6교시 수업인데
3교시 정도는 체육, 밴드, 합창, 드라마 같은 수업이다 보니
학교에서 거의 놀기만 하네요. 물론 식후 공강을 '박아 두는'
센스도 있죠! 공강 때는 교내 카페에서 놀거나 라운지에서
낮잠~

오늘은
가방이 없다.

지금,
당신의
가방 속에는

무엇이
들어 있나요?

맥북

실험실 열쇠

오피스 열쇠

집 열쇠

논문

두통약

소화제

파우치

다이어리

지갑

이어폰

핸드크림

휴대폰 충전기 USB

전 뭐 하는 사람일까요?

나에게 이런 일이,
생기기도 하죠

'혹시, 오늘 소개팅에서 만난 사람이랑
결혼하게 되는 건 아닐까'
잔뜩 기대하고 나갔을 땐 한 번 보고 다시는 안 보게 되는 경우가 많아요.
혹은 전혀 생각지도 못한 사람이 이상한 타이밍에
다가오는 경우도 종종 있지요.
'혹시' 하며 기대하는 일은 일어나지 않고
'설마' 하며 흘려보낸 생각이 진짜로 일어나는 것.
이래서 인생이 재미있다고 말하나 봐요.

동성 친구한테 고백받았다.

고백을 거절하는 게 항상 어려웠지만

지금 이 상황은 더 어렵고 힘들다.

친구를 잃고 싶지 않고

상처 주고 싶지도 않은데 어떡하지?

나에게 이런 일이

이런 고민 저만 하나요?

조금 서둘러 출근해야 하는 시간. 오늘따라 괜히 초록색
운동화가 신고 싶어졌다. 근데 초록색에 어울릴 만한 옷을
찾기가 여간 까다로운 게 아니었다. 이것저것 걸쳐 보고
다시 벗고……. 문득 불안한 생각이 들어서 시계를 쳐다봤다.
그래, 난 오늘 지각이다.

#운동화 #지각 예정 #나에게 이런 일이 #출근길

만 17세. 나에게 암이 생겼다.
그 어떤 고민도 고민 같지 않다.
엄마 아빠에겐 죄인이 되어 버린 것 같다.
아프다고 말하는 게 이렇게 죄스러울 줄이야.

#나에게 이런 일이

요새 살이 너무 찐 거 같아서 식단을 채식으로 바꿔 봤다.
이틀 만에 앓아누웠다.
많이 아팠다. 그냥 돼지가 되어야겠다.

#나에게 이런 일이

병원에선 어려울 거라더니
갑자기 선물처럼 찾아왔다.
덕분에 결혼해서 아이를 갖고 가정을 이루는……
어찌 보면 누군가에겐 평범한 일이
내겐 한없이 기쁘고 감사한 일이 되었다.

#임신 #나에게 이런 일이

결혼 일 년 만에
서른한 살의 나이에 이혼하는 딸에게
"기죽지 말고 당당하게 살아"라고 말하는
엄마의 마음은 얼마나 아팠을까?

Reply

힘내세요. 딸이 아픈 사랑을
하며 불행하게 결혼 생활을
하는 것보다 조금이라도 아프지
않길 바라는 게 부모님 마음일
거예요. 앞으로 행복한 모습
보여 주면 돼요.

뭉클하다.

———

네가 아프면……
엄마는 잠도 못 자……
아프지 마…….

어쩌면 사람은 그냥 맞고만 사는 것일 수도 있다.
세월에 맞고, 사랑에 맞고, 이리저리 휘둘리고…….
큰 사랑일수록 더 크고 위험하게.
어머니가 위대한 것은 큰 사랑을 줘서가 아니라
큰 사랑에 대한 대가를 다 맞으면서도
견뎌 내고 '걱정 말아라' 하는 마음이 있어서다.

당신의 인생이
가장 중요해요.
내가 행복해야
자식도 더
행복할 수
있어요.

언니의 둘째 아들을 입양했다.

아이의 방을 꾸며 주려고 매장을 돌다가

아이에게 무슨 색을 좋아하는지 물으니

"이모가 골라 주는 게 좋아요. 아님 파란색"이라고 했다.

결제를 하고 나서 아이와 밥을 먹었다.

"윤아, 나한테는 하고 싶은 대로

네가 원하는 대로 말해 주기로 했지?"

아이가 작게 고개를 끄덕였다.

"윤이가 좋아하는 색이 뭔지 궁금해.

나는 검은색, 하늘색, 민트색을 좋아해. 너는 어때?"

아이가 말했다.

"그렇게 많이 좋아할 수도 있어요?"

내가 고개를 끄덕이자 한참 동안 망설이던 아이가

"지금은 분홍색이라고 말해도 돼요?" 하고 말해서

나를 또 울렸다.

말해도 되느냐고 허락까지 받다니.

"그렇구나, 우리 윤이는 지금 분홍색을 좋아하는구나.

어떤 분홍색을 좋아해? 밝은 분홍색, 아니면 진한 분홍색?"

아이는 한참 동안 말없이 나를 바라보더니

가만히 안겨서 울었다.

고맙다고 했다. 내가 자기의 선택을 부정하지 않은
첫 번째 사람이라고 했다.
언니는 윤이가 남자아이니까 파란색을 좋아해야 하고,
로봇을 좋아해야 하고, 스포츠를 해야 하고,
남자답게 굴어야 한다고 했다.

나는 윤이가 파란색보다 하얀색을 좋아하고
파스텔 톤의 하늘색과 연한 분홍색을 좋아하고
딱딱하고 차가운 로봇보다는
포근하고 부드러운 테디 베어와 토끼 인형을 좋아하고
움직이는 스포츠를 하는 것보다 마주 앉아서
이야기 나누기를 좋아한다는 것을 알았다.
나는 윤이가 앞으로도 윤이답게 행동했으면 좋겠다.
밥 먹고 나서 우리는 다시 매장을 돌며
조금 전에 결제한 것을 전부 취소했다.
대신 내가 제안하고 윤이가 선택한 것들을 사 와서
방을 참 예쁘게 윤이답게 꾸몄다.

아이가 웃었다.
행복해서 기분이 좋았다.

#나에게 이런 일이
#나도 좋아하고 하고 싶은 게 하루에 수십 번 바뀌는데 아이라고 안 그럴까
#저 잘할 수 있겠죠? #근황

아이가 웃었다.

행복해서 기분이 좋았다.

'내 역사'를 만드는
가장 쉬운 방법

다섯 살 때 크레파스로 그리던 그림일기.
열 살 때 선생님이 빨간 펜으로 가득 채운 방학일기.
열세 살 때 식물 사진 덕지덕지 붙이던 관찰일기.
그리고 스무 살이 넘어서 쓰는 일기는 분명 다를 거예요.
궁금하지 않나요?
쉰 살, 예순 살이 되었을 때 어떤 일기를 쓰고 있을지.
오늘부터 우리 '1일 1기' 해 볼까요?

잠들락 말락 하면 배 속 아가가 자꾸
갈비뼈를 걷어찬다.
나도 배 속 시절에
우리 엄마를 이렇게 고생시켰을
생각을 하니 미안해지는 밤…….

\# 1 일 1 기

너무 아름다웠던 하늘!

그거 아세요?

하루에 세 번 이상 하늘을 보는 사람은 낭만적인 거래요.

우리 같이 낭만적인 사람이 되어요!

#달콤 미소 #1일 1기

엄마도 돌아가시고 난 암에 걸렸지만
이번에도 어둠에 지지 않고 이겨 냈어요.
저 잘했죠?
정말 행복해지고 싶어요.
간절하게…….

#1일 1기

서른이 넘으면 안다.
사람은 쉽게 바뀌지 않는다.
배우자나 연인이 내 잔소리를 듣고
바뀌기를 바라는 마음은 욕심일 뿐이다.
상대방을 있는 그대로 받아들이되
둘만의 새로운 세상을 만드는 게 중요하다.
부모도 못 바꾼 것을 사랑이라는 이름으로
자꾸 강요하지 말길.

#1일 1기

11월 전국 모의고사 등수가 나왔다.
전교 1등, 기분 좋게 오늘 밤도 달리자!

#1일 1기 #공부 #의대

이곳에서 나는 더 나은 사람이 되어 간다.
매일 일기를 남기며 오늘을 되돌아보고
미래에 하고 싶은 것을 생각하면서
미래 일기도 남기고 다짐을 다시 하게 된다.

처음에는 댓글 하나, 공감 하나에 집착했는데
(물론 지금도 댓글 하나, 공감 하나에 감사하지만)
요즘에는 글을 통해 나와 이야기하고
나를 알아 가는 기분이다.
나와 소통하는 방법을 배우고 있구나!
이런 생각이 드는 오늘이다.

#1일 1기

여동생이 교통사고로 세상을 떠났다.
피범벅이 된 동생의 마지막 모습을 본 아빠는 쓰러졌다.
나는 아빠를 간호했고 남동생은 장례를 준비했다.

예쁜 동생이었다.
연예기획사 사람들이 "사진 찍어도 될까요?" 하고
물어볼 정도로 예쁜 동생이었다.
집으로 돌아온 나와 남동생이 유품을 정리했다.
아빠는 한참 동안 방 안에서 나오지 않았다.
뭐 하나 방문을 열어 봤다.
아빠는 인기척을 못 느꼈는지 여동생 사진과
엄마 사진을 번갈아 보며 대화를 나누고 있었다.

"여보, 막내 지키지 못해서 미안해.
내가 무능한 당신 남편이라서 미안해."
"애야, 아빠가 바쁘다는 핑계로
우리 막내 더 잘 챙겨 주지 못해서 미안해.
네가 내 딸이라서,
내가 네 아빠라서 너무 미안해."

"그래도 당신이 내 아내라서,
내가 당신 남편으로 살게 해 줘서 고마워."
"네가 내 딸이라서,
내가 네 아빠로 살게 해 줘서 고마워."
"여보, 아이 보냈어."
"미안해, 엄마랑 잘 있어.
욕심일 수도 있지만 아빠는 언니하고 오빠가
아이 낳는 것까지 보고 갈게."

그 모습을 보고 남동생과
나는 둘이 한참을 울었다.
아빠 앞에서 소리 내어 울지 말자고
다짐했기에 밖에서 울었다.
착하고 자상한 우리 아빠는 참 강한 사람이었다.
아내와 사별하고 어린 삼남매를 혼자 키웠으니⋯⋯.
그런데 모진 세상은 막내딸을 데려가 버렸다.
원망할 곳이 없어서 세상이 참 원망스럽다.
우리 식구가 안쓰럽다.

#1일 1기

Reply

앞으로 걷는 모든 길이
꽃길이길 바랄게요.

저의 '똑똑' 노크 소리가
어라운더님께 작은 위로가
되기를 바랍니다.

사랑하는 두 여자를
잃었네요…….
당신도 슬프겠죠…….
시간이 흐르면 그땐 그랬지,
할 거예요. 지금 이 시간은
너무 슬프지만
내일은 덜 슬프길 바랄게요.

무슨 말이 위로가 될까요…….
기도하겠습니다.

누가 무슨 말을 해도 당신의
귀에 안 들리겠지만 눈을 감고
한없이 예쁜 동생에게 하고
싶었던 말을 보내 봐요. 아마
동생도 좋은 곳에서 당신을
바라보며 많이 미안해하고
있을 거예요……. 당신의
삶에 더 이상 아픔이 없기를
간절히 빌게요. 힘내라는
말밖에 해 줄 수 없는 제 자신이
원망스럽네요.

음…… 그냥 문득 든 생각인데
써 볼게요. '언니, 난 괜찮아.
그러니까 아빠 잘 보살펴 드려.
오빠랑 언니랑 아빠랑 함께 웃는
모습 지켜볼게. 울지 마, 엄마
옆에서 잘 있을 테니까. 꼭꼭 잘
지내다 와야 돼. 알겠지?'

당신의 솔직한 이야기를 적어 보세요

1일 1기 프로젝트

하루 한 번
나를 기록하는
시간이 필요합니다.
사소한 일상
소소한 낙서라도
일상을 특별하게
변화시키는
힘이 있습니다.

Date.　　.　　.

오늘의 감정을 색으로 표현해 보세요

당신의 솔직한 이야기를 적어 보세요

1일 1기 프로젝트
Weekend

Monday | Date.   .   .

Tuesday | Date.   .   .

Wednesday | Date.   .   .

Thursday | Date.   .   .

1일 1기 습관을
만들어 보아요.
짧아도 좋습니다.
일주일 동안
매일 하루를
돌아보는 연습을
해 보아요.

Friday   Date.   .   .

Saturday   Date.   .   .

Sunday   Date.   .   .

Notes

요즘 사람들이
가장 듣고 싶어 하는 말이
'사랑해'래요.
지금 사랑하는 누군가에게
응원의 한마디 어때요?
아마 기다리고 있을 거예요.

02

서툴러도,
사랑을 멈추지 말아요

미풍에도 설레는
감수성이 필요해요

시간이 흐를수록 무뎌지는 것들이 있어요.
누구를 만나도 반갑지 않고,
수십 층 빌딩에 올라서도 탄성이 안 나와요.
제아무리 맛있는 음식이라도 줄 서서
먹어야 한다는 소리에 발길을 돌려요.
시간이 흘러도 여전히 우리에게는 설렘이 필요해요.
심장은 언제나 두근거릴 준비가 되어 있으니까요.
설렘을 망설이지 말아요. 멈추지 말아요.

꽃이 너무 예쁘다고 하니까

"거울 봐.

더 예쁜 거 있어."

설렘 일화 # 남사친

075

남자 친구네 집 채광이 너무 좋아서 아침에 잠결에 눈부시다
했더니 큰 손으로 내 눈을 가려 주는 남친.
이럴 때 사랑받는구나 싶어요.

#설렘 일화 #럽어라운드

사귀기로 한 첫날
내 엄지손가락을 가져가더니
뗐다, 붙였다 반복.
본인 아이폰에 내 지문을 인식…….
이게 어찌나 설레던지…….

#다 옛날 얘기 #설렘 일화

설날에 세뱃돈 받으면서 어른들이
"앞으로 더 많이 예뻐져라!" 하셨는데
옆에서 듣고 있던 남자 사촌 동생이
"지금도 충분히 예쁜데 얼마나 더 예뻐지라는 거예요?"
귀여운 것! 잘 컸어.

#설렘 일화

나에게도 봄이 오려나 보다.

오늘 소개팅한 남자가 생각이 바르고 참 괜찮았다.

웃는 모습이 선한 그 남자. 두근두근.

올봄에는 벚꽃 피는 게 기다려진다.

#봄날 #설렘 #솔로 탈출

봄이 찾아와 생각나서 적어 보는
그때 그 시절 이야기.
초등학교 때 제가 좋아하는 남자애가 있었어요.
그때가 봄이었는데 친한 친구들과 그 부모님까지
국립공원으로 놀러 가기로 했어요.
그런데 걔가 제게 매일매일 전화해서
커플 자전거를 같이 타자고 하는 거예요.
그래서 저는 확신이 들었죠.
'얘도 나를 좋아하는구나.'
다음 날 또 전화가 와서 물어봤어요.

"너, 나 좋아해?"
"응."
"알겠어."

그리고 다음 날부터 사귀었어요.
풋풋했던 그때가 정말 좋았어요.

#설렘 #그리움 #그때가 좋았지 #추억

문득
혼자라고 느껴질 때

친구와 한 시간 동안 수다 떨고 나서
괜스레 휴대폰 통화 목록을 확인해 본 적 있나요?
일주일에 한 번은 꼭 먹는 티라미수에서
이상하게 쓴맛이 난 적은요?
운동이나 하자며 등록한 수영 강습
들어가자마자 나의 눈은 멋진 강사를 찾고 있지 않나요?
괜찮다, 괜찮다 싶다가도 문득 혼자라고 느껴질 때도 있죠.
당신만 그러는 게 아니라고 말해 주고 싶어요.

먼저, 귀 기울여 주세요

지하철은 여자 친구와 뽀뽀하고
여자 친구에게 애교 부리고
둘이서 게임하는 곳이 아닙니다.
지나친 애정 행각은 둘만의 장소에서.
아, 물론 솔로라서 그런 건 아닙니다.

#대구 지하철 2호선 #영대 방향 #솔로 만세

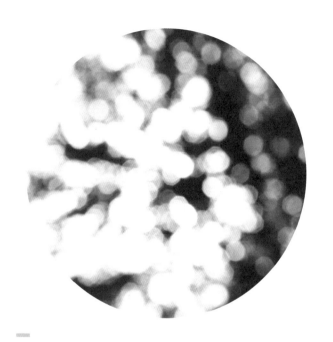

어느 순간부터 혼자인 게 좋아졌다.
누군가의 기분을 살피고,
누군가의 컨디션을 살피며,
누군가의 스케줄에 따라
내 스케줄이 변하지 않아도 되니까 말이다.
무엇보다도 상대방의 기분을 먼저 걱정하며
마음 졸일 필요가 없어서 좋다.
하지만 가끔은 혼자인 내가 너무 싫다.

#솔로라서 #솔로 만세

가끔 말도 안 되게 공허할 때가 있다.
내 주위에 있는 사람들은 모두 일로 엮인 사람뿐.
다들 나보고 왜 없느냐고 묻는데, 어디서 만나요?
일하다 훈남 찾으면 죄다 유부남.

#솔로 #남자 #여자

짚신도 짝이 있다는 말이 있습니다.
그런데 옛 조상님들이 짚신을 만들 때는
좌우 구분 없이 아무렇게나 신도록 했다고 합니다.
짚신은 짝이 없다는 말이죠.
하하하하하하하!

#솔로분들 파이팅 #나도 파이팅 #웃프다

막상 소개팅이 들어와서 연락하고 장소 잡고 나가려니
내가 왜 했나 싶다.
귀찮다. 그냥 주말에 쉬고 싶다.
그럼 남친은 안 생기겠지?
인연은 노력해야 만들어지나요?

#28살 #솔로 #소개팅 #귀찮음

솔로들에게 첫눈이란
치킨 시켰는데
닭다리가 한 개뿐인 경우.
커플들에게 첫눈이란
치킨만 시켰는데 사이드로 콘샐러드까지 온 경우.

#첫눈 #솔로 만세

한 달에 하루 정도는 솔로들만 밖에 돌아다니게 해서
서로가 서로를 알아볼 수 있도록 법으로 만들면 좋겠다.
그 시간에 커플들은 안에서 '꽁냥꽁냥'한 시간 보내시고.

#소원 #솔로 탈출

내일 혼자 1인 식당에 도전해 보려고 하는데
여자 혼자 가도 안 이상하겠죠?
이런 생각 하는 내가 싫다.
그냥 밥 먹는 것뿐인데.

#솔로 만세 #나 혼자서 #맘마

최근 소개팅을 하며 느낀 점

−글쓴이: 33세

1. 20대에 하던 소개팅에 비해 말이나 행동이 매우
   조심스럽다.
2. 취미 생활이 축구나 야구 동호회라 그 얘기 할 때만
   신난다.
3. 직장 생활 10년 차라 직장 내 위치는 중간 정도이며
   회사 생활은 싫지도 좋지도 않고 그저 그렇다.
4. 사는 게 심심한데 딱히 모험도 원치 않는다.
5. 활동적인 게 좋다고 말하면서 활동적이지 않은
   생활을 한다.
6. 20대에 비해 기본적인 예의는 있다.
7. 맘에 안 들 경우 데이트 후에 '잘 들어가세요' 이후로
   아주 깨끗하게 연락이 없다.
8. 기본적인 대화 코드를 찾으려는 노력이 없다.
9. 여자의 직종과 차량 유무도 나름 따진다.

결론: 그래서 나는 소개팅을 그만두고 솔로 생활을
   더욱 즐기기로 했다.

#소개팅 #솔로 만세

이따금
꺼내 보고 싶은 기억,
소환해 볼까요?

빛이 나요.
나에게서 멀리 떨어진 곳에 있어도
사람들 틈에 섞여 있어도
심지어 내 시야에 없어도
등 뒤에서 목소리만 들리는데도
그 사람에게서는 유독 빛이 났어요.
그 빛, 꽁꽁 숨겨 놓고
이따금 꺼내 볼 수 있으면 참 좋겠어요.

먼저, 귀 기울여 주세요

네가 그리운 게 아니야.
그 시절 그 누구보다도 뜨겁게 사랑에
빠졌던 내 모습이 그리운 거지.
아무렇지 않은 너에 비해 난 너무
초라해지고 한없이 작아졌어.
다시 누군가를 사랑하지 못할까 봐 두렵다.

#첫사랑 #웃는 남자

한때는 가장 뜨거운 연애를 했다.

그 뜨겁고 찬란한 시간이 끝나고

이제 나는 뜨겁지 않은 사람이 되었다.

너에게 주었던 온기를 전하지 못하는 사람이 되었다.

내 모든 것을 살라서 주고 나니

네게 전했던 그대로를 다른 누군가에게 전할 수 없게 되더라.

다른 이에게 그것을 전하지 못하는 것이

아쉽거나 슬프지 않지만

네게 나를 전하지 못하는 것은 굉장한 공허함이더라.

#첫사랑

컵 속의 물이 흘러넘치지 않도록
조심 또 조심하듯.
맘이 넘쳐서 내가 휩쓸리지 않게끔
조심.

#첫사랑

아주 멋지게 차려입은 날
우연처럼 마주치고 싶다.

#첫사랑

모든 일이 처음일 때만
특별한 건 아니다.
하지만 이번은 처음이라
특별하다.

#첫사랑

나는 흑심을 품은 '연필'입니다.
당신의 새하얀 마음에
'사랑해'라고 진심을 담아 썼습니다.

한때는 '자'였습니다.
당신의 마음이 얼마나 큰지 재 보았지만
잴 수 없었습니다.

지금은 '지우개'입니다.
당신의 마음에 썼던 '사랑해'를 지우려고
애쓰고 있습니다.

서서히 지우고 있지만
잘 지울 수 있을지 걱정입니다.

#짝사랑 #첫사랑 #이젠
#잊을 거다 #잊기

—

너만 괜찮다면 조금 더 사랑하고 싶었어.
아직은 내가 널 놓아 줄 자신이 없어서
괜찮다면 난 조금 더 사랑하고 싶었어.

우리의 마지막 날에 찾아간 너의 집 앞
너와의 마지막 통화
네가 좋아하는 딸기와 약을 사 갔지.
이것만 주고 가겠다는 말에 그냥 돌아가라던 너의 대답.
기다렸다가 널 보고 올걸. 전화하지 말고 그냥 기다릴걸.
마지막 얼굴도 못 보고 우린 그렇게 끝났어.

일 때문에 네가 사는 동네를 지나갈 때마다
아직 생각나고 혹시 보이지 않을까?
만나면 어떤 표정을 지어야 할까? 어떤 말을 할까?
난 아무 말도 못하고 그냥 서 있을 것만 같아.
그것이 마지막 통화일 줄 몰랐어.

네 아픔을 신경 쓰지 않았던 나.
항상 너에게는 죄인인 나.
사 갔던 딸기는 상했고 내 마음도 상했지.
딸기는 버렸는데
내 마음은 아직 못 버리고 있어.

네가 내 생각을 한다는 소식에 나와 같은 마음이란 생각에
하루 종일 아무것도 못하고 먹먹한 가슴을 부여잡고 있어.
이제는 그만 아프고 싶다던 너의 마지막 말.
그 말이 생각나서 한동안 아무것도 못했어.
내 이기심에, 널 사랑하는 게 너한테 아픔이라는 게
우린 같은 생각을 하고 있지만 이젠 그만해야 할 거 같아.

네가 손 내밀면 잡을 수 있는 곳에 항상 있었고
마지막이 끝이 아닐 거라고 믿었어.
우린 언젠가 함께일 거라고.
그런데 정말 마지막이 마지막이라고 느껴졌어.
네가 손 내밀어도 닿지 않을 곳에 있을 거야.
네가 아팠던 만큼 지금 내가 아프고
네가 아픈 만큼 앞으로 내가 아프겠지.

미안하다, 항상.

#첫사랑 #초등학교 동창
#인생의 동반 #2002년 그리고 2016년
#13년 연애의 끝 #이별 #보고 싶다
#먹먹함 #괜찮은 척
#끝

사랑,
어른도 풀지 못하는 숙제

유치원 다닐 때는 좋아하는 친구가 있으면 사탕을 줬어요.
초등학교 다닐 때는 선생님에게 잘 보이려고 수학을 100점 맞았어요.
중학교, 고등학교 때도 나름 나만의 방법을 찾아
마음을 곧잘 표현하곤 했어요.
그런데 이상하게도 어른이 되어서는 그게 잘 안 돼요.
나만의 방법을 찾는 것도
누구에게 물어봐야 하는지도 모르겠어요.
어른도 풀지 못하는 숙제가 있다면 이런 걸까요?

먼저, 귀 기울여 주세요

시간이 없고 바쁘다는 핑계로
상대에게 소홀해지지 마세요.
시간은 동등하잖아요.
그 사람은 당신을 위해
많은 것을 포기했어요.
상대방이 당신을 위해
보낸 시간을 의미 없게 만들지 마세요.

\# 사랑은 마술 같아

난 솔로일 때가 많지만
친구들 연애에는 솔로몬이다.

#솔로 #연애 상담 #솔로몬

가끔 보면 다른 애들 연애 상담은 잘해 주는데
자기 연애 못하는 애들 꼭 있다.

#연애 상담 #연애

다 있는 남친, 저만 없네요.
스물여섯 살인데 제대로 된 연애 한 번 해 본 적 없고,
항상 썸만 타다가 그 이상 발전되지 않네요.
문제가 있을 텐데 그걸 몰라서 답답하네요.

#솔로 #연애 #연애 상담

불안해하는 내게 친구가 말하더군요.
"너는 그걸 알아야 돼.
세상에서 너만큼 그 사람과
많은 시간을 공유하는 사람은 없어.
같이 보내고 있잖아."
연애에 대한 밑도 끝도 없는 불안.
오늘은 좀 편안해져 보렵니다.

#연애 #고민 #고민 상담 #연애 상담

"'이 사람이다' 싶은 사람을 만나거든
절대로 놓치면 안 된단다.
운명의 사람과는 평생 동안 그렇게
몇 번이고 만날 수 있는 게 아니니까."
– 드라마 〈아름다운 13월의 미오카〉 중에서

'이 사람이다' 싶은 사람까지는 아닌데
자꾸 마음이 가요. 좋아요.
선택해도 되는 건지 모르겠어요.
전 스물아홉, 그 남자는 스물여덟.
동호회에서 만나 2년 동안 지켜봤어요.
짝사랑으로 끝내야지 마음먹었는데요.
연말이라, 크리스마스라……,
오랜만에 봐서 그런지 마음이 싱숭생숭해요.
가끔 연락하고 밥이나 먹고 몇 번 공연을 봤지만…….
남자가 저를 좋아한다면 먼저 연락하고 그랬을 텐데.
시간이 해결해 줄까요? 이번 주말 식사 약속도 잡았는데…….
뭔가 마음을 알아볼 방법은 없는 건지?
5년이나 쉰 연애 바보는 정말 모르겠네요.

Reply

할까 말까 할 때는 하라고
하던데요?

많은 사람들이
'이 사람이다!'가 아닌
'아, 이 사람이어도 좋겠다'는
사람과 시작하더라고요.
저도 그랬고요!
지금은 이 사람 아니면
안 되겠네요.
좋은 인연이 되길 바랄게요.

진짜 좋아하게 됐나요?
여지를 주세요.
호감을 먼저 나타내 보세요.
그분도 같은 마음일지
모르잖아요.

모 아니면 도! 평생 이어질
관계가 아니라면 지금 마음을
표현하는 게 미련이 없을 거
같아요. 전 그렇게 놓치고 나니
후회가 되더라고요.

서로 눈치만 보고 있는 거라면
먼저 고백하세요.
아니면 다른 누군가 몰래
채 갈지도······.

시간이 해결해 주는 건 없어요!
행동해야 합니다! 파이팅!

그래도 밥 먹고 연락하는 거
보면 마음이 아예 없는 건
아닌 거 같은데요.

일단 고백!
아니라면 견디면 됩니다.
세상에 내 짝은 있으니까요.

지금이 권태기라고 말하는 남자 친구. 그런데 제가 싫은 것도 아니고 헤어지고 싶지도 않대요. 단지 자기 시간을 갖고 싶고 친구들도 더 만나고 싶대요. 자기를 이해해 달라고. 저보고 자기가 저를 궁금하게끔 하는 것도 나쁘지 않을 것 같다고 하네요. 연락에 너무 집착하지 말라는 것처럼 들리더라고요. 이제 500일 조금 넘었는데 저는 남자 친구와 떨어져 있으면 어디 있는지 뭘 하는지 너무 궁금한데……. 그냥 제가 참고 가만히 기다리면 되는 걸까요? 남자 친구가 심한 권태기는 아닌 것 같은데 어떻게 해야 할지 도저히 모르겠어요. 제 사랑을 부담스러워하는 모습이 너무 슬프고 제 자신이 초라해 보여요. 연애라는 게 처음과 같을 수는 없지만 변한 모습이 느껴지는 건 정말 마음이 아프네요. 데이트하면서 잘하려고 해도 이런 얘기를 꺼내면 결국 원점으로 돌아가요. 그래서 요새 혼자 우는 시간도 많아지고 저도 그 사람처럼 관심 없는 척해야 하나 생각해요. 매일 밤 뒤척이고 너무 힘드네요.

#연애 상담 #고민 상담 #권태기

 Reply

님, 마음이 크신가 봐요.
우선 남자 친구분에게 시간을
주세요. 당장 대화하려고 해도
남자는 더 혼자 있고 싶어
하거든요.

사랑은 공평하지 않아요. 늘
어느 한쪽이 더 큰 법입니다.
본인을 더 사랑해 줄 사람이
있을 거예요.

사랑하기 위해 앞만 보다가
이제 주위를 돌아보는 경우가
아닐까요? 여자분도 그동안
신경 못 쓴 사람들에게 신경 써
주세요. 남자 친구분이 님에
대한 마음을 잘 표현해 주면서
다른 사람에게도 신경 쓸 수
있으면 좋으련만. 어디까지나
제 생각입니다.

제게 권태기가 찾아왔을 때
아무 연락이 없던 남자 친구가
갑자기 연락 와서는……
괜찮냐고 물으며 힘든 일 있으면
자기한테 말하라는 거예요.
그때 울컥해서
권태기가 바로 없어졌어요.
혹시 제 경우가 어라운더님께
도움이 될까 해서 적어 봐요.

가끔은 자기 일에 몰두하고
자기 생활과 친구들에게
시간을 쏟을 줄 알아야
합니다. 그래야 더 매력적으로
보여요. 남자 친구분이 당장
이별까지 생각하고 있지 않은
걸 보면 각자 거리를 두고
개인의 시간을 가져 보려는 것
같아요. 상대방에 의해 감정이
좌지우지되는 이성은 매력이
덜합니다. 이번 일을 계기로
연애할 때 본인이 어떤 모습인지
되돌아보는 건 어떨까요?

권태기가 잘못 오면 헤어지지만
그것을 잘 극복하면 더 많은
사랑을 하게 되죠.
다시 원점으로 돌아간다고 해도
남자 친구랑 진솔한 대화를
나눠 보는 건 어떠세요?
대화하면서 풀어 가야지
대화 안 하고 계속 쌓아 두면
본인만 더 힘들어질 거예요.
힘들 때 같이 나누는 게
진정한 사랑이니까요.

저도 지금 권태기를 겪고 있어요. 정말 공감되네요. 혼자 울며 마음
독하게 먹어야지 하면서도 눈물이 계속 나더라고요. 일단 남자
친구분은 혼자 두는 게 나을 거 같아요. 그러면서 글쓴이님도 생각
정리하시고……. 얼른 권태기를 극복하셨으면 좋겠네요.

GENERAL ALARM

WHEN BELL RINGS
GO TO YOUR STATION

당신에게 '썸'이란
어떤 의미인가요?

친구가 나에게 물어요.
"너 요즘 썸 타는 사람 있구나?"
그럼 보통 어떻게 대답하나요?
"아니야, 썸이 아니라 그냥 친구야."
또는 "썸 아니야, 진지해."
남녀 사이에 가벼운 만남이라는
의미를 가진 요즘 단어 '썸'.
다들 어떻게 사용하고 있을까요?

먼저, 귀 기울여 주세요

'?'를 주는 남자보다는
'!'를 주는 남자가 더 좋은데
넌 왜 자꾸 '?'만 주는 거니?

#썸일까 #사랑일까

누군가 썸이라는 말을 만들어 낸 후
남녀 관계에서 책임감 없이 행동하는 사람에게
자유라는 날개가 생겼네요.
"나는 잘못이 없어. 책임감 없는 내가 아니라
썸 타는 사이에 오버하는 네가 잘못"이라는 당신들…….
비겁해.

#썸

이상형을 알려 달라는 너의 말에 고개 들어 너를 한 번 보고
다른 곳을 보며 너를 떠올린다. 안 들키게.
아니, 들켰으면 좋겠어. 언젠가는…….

#짝사랑 #썸

엉뚱한 매력, 너무 귀엽고 예쁘게만 보입니다.
나한테도 "엉뚱하다", "바보 같다" 합니다.
그래도 좋아요, 그녀랑 같이 있으면
시간 가는 줄 모르고 웃고 떠들고 장난치고.
고마워요, 웃음 찾아 줘서!

#썸 #썸녀

상태 메시지에 '살기 시르다┬┬'라고 적어 놨더니
5분도 안 돼서 이 남자한테서 전화가 오네요.
깜짝 놀라 받으니 대뜸 "살기 싫으면 돼요, 안 돼요?
아니, 정정하자. 그러면 안 돼요, 안 돼요!"

#7살 차이 #썸 일기 #isay #usay #나에게 선택권 따윈 없다

인연은 정말 타이밍인가 봅니다.
누나, 그동안 망설여서 미안.
그래도 기다렸는데 이제는 명분이 없는 거 같아.
안녕.

#썸 #끝

혹시 바쁘지 않느냐고
오늘 엄청 추운데 괜찮겠느냐고 조심스럽게 물어보는 너.
지금 추운 게 문제야?
중요한 건 네가 날 만나고 싶어 한다는 거잖아!
오늘 나의 짝사랑이 끝날 것 같은 예감!

#썸 #짝사랑

내 말을 기억하고 알아주는 너 참 좋다.

#달달한 #썸

부담스럽지 않게 썸남의 마음을 확인하는 방법이 있을까요?
무턱대고 '혹시 저에게 관심 있어요?'
이렇게 말하기엔 같은 직장이라 리스크가 너무 커요.
위트 있지만 무례하지 않게 뭐라고 하면 좋을까요?

#썸남 고백법 #진짜 급해요 #실패 시 바로 선봐야 함

뭐 그냥 영화가 보고 싶은데
같이 갈 사람이 없다. 같이 가
주지 않겠느냐……. 따라오면
관심 있는 남자고요. 그렇게
자리를 마련해 주면 다음
스케줄이 진행되지 않을까요?
아님, 차가 있는 남자분이라면
어디까지 태워 달라고
해 보세요…….
방법이야 많을 거 같은데요.

술자리에서 5분만 연인이 되어
달라고 하세요. 그리고 5분
지나서 헤어지자고 안 하면
그때는 100% 아니겠어요?

남자 사람인데요. 솔직히
고민할 필요 없는 거 같아요.
그냥 '나 너 맘에 든다.
너 나 어떠냐?' 이러면 99%
넘어옵니다. 믿어 보세요.
정공법이 답입니다.

선톡으로 약속을 잡아 보는 건
어떤가요? 편한 사이라면 크게
부담스럽지도 않고요. 남자들은
선톡에 설레거든요.

특정 시간에 특정 장소로 같이 가자고 톡을 하세요.
관심이 있으면 나옵니다.

1. 톡을 발사한다.
   예) 금요일 7시, 한잔 할래요?
2. 술을 잔에 부으며 말한다.
   예) 이거 마시면 나랑 사귀는 거다.
3. 뭔 소리냐고 눈이 동그래지면 이렇게 말한다.
   예) 모히또 가서 몰디브 한잔 하자.
4. 취한 척한다.

술 못 마신다는 댓글 이제 봤네요. 술 못 마시면 땡이에요.
알 수 있는 방법 전무!

궁금했으면 좋겠다.

언제 퇴근하는지
누구를 만나는지
집에는 잘 들어갔는지
주말에는 뭘 하는지

썸남아, 듣고 있니?

#썸 #썸인 듯 아닌 듯

이제는 말할 수 있는
이별 이야기

아무도 몰랐으면…….
누구에게도 이야기하고 싶지 않은
너와 나 사이에
영원한 비밀로 남겨 두고 싶은 이야기.
한 사람의 잘못이 아닌
그 누구의 잘못도 아닌
언제 들어도 아쉽고 후회로 남을 이야기.
너와 나의 이별 이야기.

이별.
내가 선택한 길인데
후회는 없는데
왜 마음이 찢어질 듯 아프죠?

#끝나지 않은 #이별

나만의 이별 후 법칙들

1. 카톡을 찾아보지 않는다.
   적어도 삭제한 상태. 당연 연락처도 지워 준다.
   이건 자기와의 싸움인데 잘 참을수록 자존감이 회복된다.

2. 혼자서 할 일을 찾는다.
   무기력하지 않도록.

3. 자꾸 생각나는 것에 연연하지 않는다.
   함께한 시간이 많아서 습관적으로 생각나는 것일 뿐.
   그런 생각이 불러오는 다른 생각들
   가령 '우리 이제 다시 못 본다' 등의
   연결고리도 만들지 않는다.

4. 밤늦게 깨어 있지 않는다.
   밤에 하는 생각은 대부분 좋은 것보다는
   좋지 않은 것들이다. 일찍 자고 일찍 일어난다.

5. 운동을 한다.
   많이 움직이면 밤에 일찍 잠들 수 있다.
   울화라든가 갑갑했던 마음도 풀린다.

6. 나를 아끼는 사람들을 만난다.
   내가 어떤 사람인지 다시 한 번 느끼고
   스스로를 토닥일 시간을 가진다.

이상, 저만의 법칙들이었습니다.

#이별 후에 #이별

아무래도 큐피드가 화살을 잘못 쏜 것 같아요.

#사랑 #이별

우리 연애가 특별한 줄 알았어요.
먼저 좋아한 것도 처음이고요.
너무 좋아 죽고 못 살겠다는 말을 바보같이 믿었네요.
그냥 보통의 연애였을 뿐인데······.

#이별 #보통의 연애

오늘도 밤이 늦었네요. 하루 종일 바쁘고 힘들어 침대가
간절해지는 시간. 막상 몸을 누이면 잠자리로 찾아오는 사람.
찾아와서는 나를 놓아 주지 않는 사람.
그대는 날 힘들게 해요. 그대가 싫어요. 미워요.
보고 싶어요. 지금 그대는 무얼 하고 있나요?
다른 사람 곁에서 기분 좋은 꿈을 꾸게 하나요?
매일 밤 그대가 그리워요. 그대의 목소리, 웃음, 미소가.

#불면증 #midnight #그리움 #밤 #침대

오늘이 다 가지는 않았지만
오늘도 결국 넌 연락 한 통 없구나.

#이별 #기다림 #그리움 #미련

방금 헤어졌어요. 만나서 이야기하자 했더니
혼자 생각을 정리했다면서 헤어지자네요.
나쁜 놈, 잘 먹지도 말고 잘 살지도 말아라.
이제 네가 싫어하는 치마를 입을 거고 운전도 할 거다.
그리고 너보다 훨씬 좋은 사람 만날 거다.

#이별 #이별 이야기 #나쁜 놈

그리워요, 그 시절 우리가.
다시 돌아갈 수 없는 그때의 너와 나.
사랑한다고, 더 많이 말할 걸 그랬나 봐요.

#이별 후에

'미안해.'
내가 사랑하는 사람에게서
절대로 듣고 싶지 않은 한마디

대개 이 말 후에는 이별이더라.

#이별 #마지막

행복 지수를
높이는 방법

새하얀 드레스와 모양새를 갖춘 턱시도를 차려입고 음악과 함께 입장.
툭 건드리면 톡 눈물을 쏟을 듯한 눈으로 꽃가루와 함께 퇴장.
그렇게 우리는 결혼했어요.
그러니 잊지 말아요.
벅차오르는 감정을 주체하지 못해 서로 쳐다보기만 하던 우리를.
절대 잊지 말아요.
비록 짧은 시간이지만 영원을 맹세한 우리 둘.

먼저, 귀 기울여 주세요

잠든 아내가 너무 예뻐서
머리를 좀 쓰담쓰담했더니
살짝 미소 지으며 폭 안겨 온다.
나 때문에 깼나 싶어 살펴보니
새근새근 잘 자고 있다.
다시 쓰담쓰담해야지.

#이게 바로 #신혼 재미 #결혼하면 좋아요

나에게 와이프는 귀여운 딸 같다.
나는 와이프에게 귀여운 아들 같다.
우리는 이렇게 서로를 보살피고 보듬어 주는 사이.

#결혼 3년 차

내가 당신 앞에서 방귀도 트림도 트지 않는 이유는
3년이 지났어도 당신 눈에 여자이고 싶기 때문이야.

#결혼 3년 차 #부부

대학생 때 첫사랑 과대 오빠와 2년간 사귀면서
많이 차이고 구질구질하게 매달렸어요.
지금은 그 사람과 결혼해서 공주 대접받으며
잘 살고 있어요.

#2년 연애 #결혼 #6년 차 부부

누군가와 사귀기 전에 나 자신에게 묻는 말.
"이 사람과 키스할 수 있을까?"
누군가와 결혼하기 전에 나 자신에게 묻는 말.
"이 사람 앞에서 방귀 뀔 수 있을까?"

결혼은 사랑해서가 아니라 사랑하려고 하는 거래요.
많은 생각이 들어요.
'나는 정말 이 사람을 사랑하나?'
'결혼해도 되나?'

#결혼이란

결혼 10년 차 언니의 썰.
결혼할 남자를 선택할 때는 말을 예쁘게 하는 남자를 골라라.
힘들고 지칠 때 서로를 보듬어 주는 예쁜 말 한마디보다
소중한 것은 없다.

한 아줌마가 말했다.
결혼이란 건 말이지, 한바탕 싸우고 집을 박차고 나가서는
나간 김에 장 봐서 들어오는 거라고. (피식)

#결혼

결혼하면 보통 살이 찐다.
부부가 신나게 야식을 즐기기 때문이다.
'살=행복 지수, 부부 금실'이라 믿고 싶다.

#신혼 #결혼 #행복해

여자 친구가 투덜댑니다.
초심을 잃었다니!
전 아직도 마냥 좋은데…….
그래도 제 잘못입니다.
더 잘해야죠. 마님처럼 떠받들기로 했거든요.
에잇! 빨리 이 여자랑 결혼하고 싶습니다.

#사랑해 #결혼하자

결혼할 때, 왜 우나 했는데
지금 보니까 사랑하는 사람한테 가기 위해
또 다른 사랑하는 사람을 떠난다는 게 서러워서인 것 같다.

#결혼 #눈물 #사랑 #부모님

남자 친구의 부모님을 뵙고 왔다.

하염없이 "예쁘다, 예쁘다……."

마치 손녀를 보듯 순수하게

예뻐해 주시는 모습에

이 남자와의 결혼을 또 한 번 생각했다.

#행복 #결혼 #달콤 미소

진심 엽서 프로젝트

감사한
사람 _____

보고픈
사람 _____

돌이켜 보면
고마운 사람이
참 많습니다。
떠오르는 사람의
이름을 적고
고마운 메시지를
적어 보아요。

고마운
사람 _____

그리운
사람 _____

127

인생은 말하는 대로
이루어진대요.
힘들다고 말하면
늘 힘들고 재미없지만
감사하다고 말하면
내일은 열 배,
백 배 감사할 일이
당신 앞에 나타날 거예요.

03

소중한 사람에게
마음을 표현해요

입만 '뻥긋'해도
할 수 있는 말, 엄마

입술과 입술을 붙일 때 '엄' 뗄 때는 '마' 해 봐요.
입을 '뻥긋'하기만 했는데 우리는 '엄마' 하고 부를 수 있어요.
너무 간단하고 쉬워서 부르고 또 부르면서
정작 하고 싶은 말, 해야 할 말은 하지 못하는 거 아닌가 싶어요.
직접 보고 말하기 힘들면 전화로 해도 괜찮아요.
"엄마, 사랑해."
"엄마, 사실 나 무지무지 힘들어."

먼저, 귀 기울여 주세요

손가락이 열 개인 이유는
어머니 배 속에서 몇 달이나
은혜를 입었나 기억하려는
태아의 노력 때문인지도 모른다네요.

\# 엄마 \# 사랑해

'엄마'라는 꽃은
'나'라는 꽃을 위해 거름이 되려 한다.

내가 어렸을 때는 엄마가 슈퍼맨인 줄 알았다.
불가능이란 없는, 나를 무조건적으로 사랑해 주는 사람.
그러기에 내가 어떤 짓을 해도 다 괜찮을 줄 알았다.
엄마를 한 사람, 한 여자로 보기까지
너무 오래 걸린 것 같아 죄송하다.
엄마도 사람인데 나는 그걸 왜 몰랐을까?
내가 생각 없이 뱉은 말에 상처받을 수 있다는 걸
왜 몰랐을까?
엄마도 외로움을 느낀다는 걸 왜 몰랐을까?
엄마, 정말 감사하고 사랑해요.

방금 엄마 휴대폰을 봤는데요.
저와 한 카톡방에는 엄마 혼자 내게 말한 흔적밖에 없네요.
어쩌면 엄마는 내가 생각하는 것보다
훨씬 더 외로울지도 모릅니다.

엄마의 혼잣말이 늘어날수록
너랑 마주 보며 이야기하고 싶다는 거야.
'우리 딸 많이 바쁜가 보네?'
'우리 아들 힘든가 보네?'
너의 숨소리만 들어도 발소리만 들어도
무슨 일이 있었는지, 어떤 일이 있었는지
다 아는 사람이 엄마야.

그러면서도 아무 말이 없는 건
"엄마는 모르잖아. 좀 냅둬. 나 힘들다고!"라고 말하며
네가 우는 모습을 보일까 봐서야.
그러면 엄마 마음이 찢어지기 때문이야.

당신이 해 줄 게 없다는 걸 아는 순간
마음에 피멍이 드니까.
네가 먼저 다가와 주기를 기다리는 거야.
엄마는 그래.

#엄마 #혼잣말 #너에게

엄마랑 석양을 보고 있는데 엄마가 울었다.
왜 우느냐고 물었더니 엄마가 대답하기를
"내가 뜨는 해는 아니잖아."
나도 울었다.
엄마, 그땐 말하지 못했지만
지는 해가 뜨는 해보다 몇 배는 아름다운걸요.

붉게 타오르기까지 찬란했던 엄마의 시간을
이 딸은 늘 응원하고 존경해요.
사랑해요.

#엄마

사회생활을
잘하는 방법

사회생활을 잘하려면 하루 세 끼를 잘 챙겨 먹어야 해요.
우리의 에너지는 제한적이니까요.
출근과 동시에 쏟아지는 업무와 전화에 맞서려면
퇴근 후 친구나 가족과 저녁을 먹고 영화를 한 편 보려면
에너지를 잘 분배해야 하니까요.
에너지가 부족하거나 한쪽으로 치우치면
좋아하는 사람을 만나도 아무리 맛있는 걸 먹어도
우리 몸은 즐겁다고 느끼지 못해요.
사회생활을 잘하는 첫 번째 방법은
바로 끼니를 잘 챙기는 거예요.

상대방 그릇의 크기는 정해져 있으니
'정말 그릇이 작은 사람이구나, 하고
화내지 마세요.
그것을 느낀 당신이 그 사람보다
넓은 그릇을 가졌으니까요.

\#위로 \#힘내 \#사회생활 \#직장의 비애

'나는 나를 사랑해. 그리고 나를 믿어.
있는 그대로의 내가 자랑스러워. 오늘도 아름답구나.'
매일 아침 출근길, 주문을 마음속에 새기며
내가 존재만으로도 행복한 사람이라는 걸
가치 있는 여자라는 걸 깨달아요.
사회생활을 하다가 받은 상처에 휘둘리지 않아요.
난 나의 기둥이니까.

사회생활을 시작한 지 일 년.
똑같은 일상에 지루함을 느끼고 힘들어 죽겠다고 생각할 때쯤
문득 스쳐 갔다. 작년의 내가 이 순간을 몹시 갈구했다는 사실이.
배가 불렀다, 나는 지금.

사회생활은 짜증 나도 참고 웃어야 하는 거야.
우는 건 이불 속에서.

#복습 시간

인간관계가 제일 힘들지만 그게 제일 힘이 되기도 하지.

#인간관계 #힘내요 #사회생활 #사회초년생

시키는 대로 했는데 왜 그렇게 했느냐고 화내면
곧바로 따질 수 있지만 증거도 있지만
"죄송합니다, 주의하겠습니다."

#사회생활

눈치는 있되 눈치는 보지 말라.

#한국형 #사회생활

취준생을 응원해요! 전 서른한 살 여자입니다.

다소 긴 글이 될 수도 있지만 이 글을 보고 위안받기 바라며 제 이야기를 꺼내 봅니다.

전 대학 졸업하면서 전공과 다른 쪽 일을 하고 싶어 시험을 준비했어요. 무려 3년 동안이나……

꼭 하고 싶은 일이라 '이거 아니면 안 돼'라는 생각으로 살았죠. 그땐 일상이 우울했어요. 부모님께 죄송하기도 하고 내 청춘에게도 미안하고…….

꿈이랍시고 3년 동안 끈질기게 도전해 보니 어느덧 스물여덟 살. 그제야 무섭더라고요.

'이러다 사회에서 도태되어 혼자 살다 죽을지도 모르겠구나.' 결국 힘들게 꿈을 포기하고 전공 쪽 일을 시작하게 됐어요. 그렇게 늦게 사회에 첫발을 내딛고 보니 진작 사회에 나올걸 왜 그 길만 고집했나 싶더라고요.

사회생활을 해 보니 어쨌든 내가 살아 있음을 느낄 수 있었고 일하면서 간간이 보람도 느꼈어요.

꿈을 이루었다면 좋아하는 일을 하며 살았을지도 모르지만 그게 또 제 삶의 전부는 아니라는 생각이 들더라고요.

비록 원했던 일은 아니더라도 내 역할이 있고 돈 벌며 살아가는 인생도 행복하다는 걸 늦게 깨쳤어요.

혹시 저처럼 한 우물만 오래 파는 사람이 있다면
제가 경험해 본 사람으로서 공유하고 싶어서 써 봤습니다.
꿈을 이루지 못해도 실패한 인생이 아니라는 거.
당신을 필요로 하는 곳이 있다는 거 잊지 마세요.
항상 응원합니다!

#취업 #취준생 #모두 대박 나라

가장 가까운 친구를
떠올려 볼까요?

대학 친구는 중고등학교 친구보다 못하고
사회 친구는 대학 친구만 못하다고 해요.
결혼한 친구들 사이에서 미혼 친구는
결혼한 친구만 못하다고 말해요.
그런데 시간이 지날수록 그런 상관관계는 소용이 없어져요.
매일같이 서로의 고민을 털어놓을 수 있는 친구,
갑작스러운 연락에도 어색한 내색 없이
옛날 추억으로 미소 지을 수 있는 친구가
나에게는 가장 소중해지는 거죠.

어느 날 갑자기 연락해도
아무렇지 않게 편하게
만날 수 있는 그런 친구.
친구는 양보다 질.
소수와의 깊은 관계가 좋다.

#공감 #친구

친구들에게 내가 이제는 연애를 해 봐야겠다고 했더니
유부녀 친구는 '깨춤'이라도 추겠다고 하고
임신부 친구는 만삭의 스텝을 보여 주겠노라 한다.
미안하다, 내가 죄인이다.

#친구들을 춤추게 만들고픈 1인

술 마시고 전화했을 때 내가 뭐라고 주정하든
조용히 들어 주는 친구가 난 가장 고맙더라.

친구가 그랬다.
"남을 사랑하려면 나부터 사랑할 줄 알아야 돼."
직장을 그만뒀다.

#고맙다 #친구야

너 같은 녀석이 내 친구인 걸 보니
나도 꽤나 잘 살았구나 싶다.

인간관계로 스트레스받지 말자.
곁에 남을 인연은 어떻게든 같이 간다.

얼마 전에 엄마가 편찮으셔서 돈이 필요했다.
급한 마음에 기대도 안 한 남사친에게
500만 원을 빌려줄 수 있느냐고 물었는데
두말 안 하고 바로 입금해 줬다.
나중에 안 사실이지만 자기도 친구에게 빌려서 줬단다.
돈을 갚으면서 "그때 왜 묻지도 않고 빌려 줬냐?" 했더니
"오죽 급했으면 나한테 전화를 했겠냐?"라고 말하면서
멋쩍게 웃던 녀석.
이래서 남자 친구보다 오래된 친구가 더 좋다고 하는 건가?

고맙다,
덕분에 엄마 건강 찾아가고 계신다.
그런 일 없어야겠지만
너 힘들 땐 내가 꼭 보답하마.

#친구 관계 #고마움 #건강하자

‘안녕’이라는 말, 누구한테 듣나요?
당신이 “안녕”이라고 말할 때,
누구한테 “안녕”이라고 듣나요?
지금 이 순간뿐입니다.
친구들과 인사 나누는 말 “안녕”
10년 후면 다 잊어버립니다.
지금 후회 없이 다가가세요.
망설임 없이 먼저 다가가세요.

#안녕 #친구 #후회 없이

10년 전에 제 분신 같던 친구가 하늘나라로 갔습니다.
그래서 생일이 있는 6월이 저에게는 10년 동안
가장 아픈 달이었죠.
매년 기일에 친구의 부모님과 식사를 합니다.
올해는 10년이라는 시간만큼 더 깊어진 그리움에 대해
이야기를 나누었죠.
친구의 어머니께서 저에게 말씀하셨습니다.

"네가 그날 이후로 10년을 어찌 살았는지
어려운 집안 형편 때문에 그 흔한 여행도 못하고
집안 빚 갚느라 어떻게 청춘을 잃었는지
내 자식 보는 것 같아서 항상 마음이 미어져.
그래도 그 많은 빚을 다 갚고
번듯한 직장에 다니는 걸 보면서 큰 위로를 얻는다.
엄마도 없이 혼자 잘했어.
하늘에서 그 녀석도 무척 기뻐할 거야.
그러니까 이제라도 행복하게 살아.
여행 가고 싶으면 가고, 먹고 싶은 것도 다 먹고
하고 싶은 것 다 해 봐.
더 많이 사랑하고 더 즐겁게 놀아.
아들 죽고 나한테는 너 하나 남았는데
난 내 아들이 또 불행한 건 너무 싫다."

울었습니다, 펑펑. 감사해서.
그리고 그날 저녁 운전면허 학원에 등록하고
제주도행 티켓을 끊었습니다.
제 나이 서른한 살, 어제 면허를 땄습니다.
그리고 지금은 제 생의 첫 비행기를 타고
제주도의 멋진 해변에 와서 이 글을 쓰고 있습니다.

여러분, 행복하세요.
하고 싶은 것 하면서 즐겁게 살아요.
누군가의 몫까지, 누군가의 마음까지 더해서
그렇게 행복하게 살아요.

여러분 행복하세요.

하고 싶은 것 하면서 즐겁게 살아요.

스트레스,
오늘도 받고 있나요?

"입맛이 없어요. 소화도 잘 안 되는 것 같고.
커피나 생과일주스로 아침을 때우지만 저녁은 꼭 챙겨 먹어요.
잠자는 시간이 불규칙하지만 지각한 적은 없어요.
주말에는 가능하면 안 나가요. 쉬는 거죠.
이 패턴이면 병이 생길 이유가 없지 않나요?
건강검진도 아무 이상 없었거든요."
"음, 아무래도 본인은 못 느끼겠지만
몸이 계속 신호를 보내고 있는 것 같아요.
'스트레스'라고 말이에요."

사흘째 업무 스트레스에 찌들어 있었는데

우연찮게 주차장에서 만난 길냥이가

내 마음을 안다는 듯 달려와서

손을 꼭 잡아 준다.

마치 누군가 보낸 선물처럼.

며칠째 심장박동이 너무 커진 데다
잠도 제대로 못 자서 엊그제 근처 한의원에 다녀왔다.

의사 선생님이 맥박을 재더니 안쓰럽다는 듯 바라봤다.
"신경 쓰이는 일이 있나요?"
진료일 뿐인데 누군가 손을 잡고 내 눈을 바라보며
힘들지 않느냐고 물어보니 울컥했다.
눈물을 삼킨 채 간단한 검사를 받았다.
그래프 수치가 표를 뚫고 올라갈 지경이었다.
머리부터 발끝까지 골고루 돌아야 하는 열이 심장 위로 온통
쏠려 있으니 심장이 쿵쾅쿵쾅 뛰는 거란다.
"스트레스가 많이 쌓였나 보네.
안 쌓이면 좋은데 그게 맘대로 안 되죠?"
참고 있던 눈물이 터질 것 같았다.
'여긴 심리 상담실이 아니라 한의원이야.'
겨우겨우 참고 약을 받아 나왔다.
친구한테 털어놓으니 그냥 울지 그랬느냐며 말한다.
"울어 버리면 개운하기라도 할 텐데……."

그러게 말이야. 너무 쌓여서 오늘도 아직 쿵쾅대는데
눈물이 나오질 않아. 적당히 물 주고 햇볕 쬐며 애정 있게
길러 줬어야 했는데……. 마음아, 미안해.

안 그래도 외롭고 고된 백수 생활 점점 멀어져만 가는
인간관계에 이해받지 못하고
소외되는 느낌에 많이 외로워서 마음이 갈라졌나 봐.
그저 누군가와 진심을 나누고 싶었을 뿐인데.

거기 당신!

내일은 아침 꼭 챙겨 먹어요.

아프면 미루지 말고 병원에 가고요.

피곤하다고 빈속에 커피 마시는 거 그만하고요.

스트레스받는다고 담배 자꾸 피우지 말고요.

다이어트한다고 굶는 거 아니죠?

추우니까 따뜻하게 입는 거 잊지 말아요.

첫째도 건강,

둘째도 건강!

아프지 말아요, 제발!

세상에서 내가 제일
외롭다고 느껴질 때

"외로움이 싫어요.
나에게만 찾아오는 외로움이 싫어요."
세상에서 내가 제일 외롭다고 느껴지는 날이 있어요.
아마 그날은 내가 제일 외로운 게 맞을 거예요.
하지만 신은 공평하니까
외로운 사람을 1등부터 줄 세워서
내일은 두 번째, 모레는 세 번째에 서게 할 거예요.
그렇게 되면 언젠가 마지막 줄에 서 있겠죠?
행복한 사람 순으로는 1등으로 말이에요.

먼저, 귀 기울여 주세요

외로움을 겪어 본 사람은
타인에게 다정하대요.
내가 좋은 사람이 될 수 있게
밑거름이 되어 준 시간들에 지금은
감사합니다.

그거 아세요?
대한민국 아버지들 중 70% 이상이
외로움을 느낀다는 것.
혼자 울고 싶을 때 울 수 있는 공간이 없다는 것.
잘하세요, 남편한테.
아버지한테.

나는 혼자일 때의 외로움이 좋다.
그 외로움은 나만이 가진
세상의 유일한 소중한 감정.

갑자기 참을 수 없는 외로움이 밀려올 때는
공포 영화를 보세요.
그럼 방 안에 더 이상 혼자가 아닌
기분이 듭니다.

#ㅋㅋㅋ

유학 생활 외롭고 힘들다. 남들은 배부른 소리라는데
그 시선과 부담감을 다 짊어져야 하는 게 유학 생활.
그래도 내가 한 선택이니까 이 악 물고 버텨야지.
모든 유학생들, 타지에서 생활하는 분들 힘내세요.
유학 생활의 가장 큰 적은 외로움.

#유학생 #타지 생활

누군가의 어깨에 기대어 펑펑 울고 싶다.
하지만 울 장소가 없다.
부모님께는 걱정을 안겨 드릴 수 없어서.
친구들에게는 우울을 전염시킬 수 없어서.
외롭지만, 사람에게는 외로움이 당연한 거라며
스스로를 다독인다.
새삼스러울 것 없는 감정이니까.

#울고 싶다 #당연한 #외로움

진정한 소통이 무엇인지 알 것 같습니다.
거의 매일 페이스북을 하다가
어라운드를 알고부터 요즘은 어라운드에만 손이 가네요.

페이스북을 하면 할수록 자신보다는 타인의 시선을 살피고
게시물을 좋아해 주고 공감해 준 사람들의 고마움보다는
'좋아요' 개수에만 신경 쓰는 것 같아
오히려 외로움이 커지고 자존감은 작아졌습니다.

그런데 어라운드는 하나의 공감 하트가 진심으로 와 닿고
한 사람이라도 마음을 공유한다는 것이 참 고마웠습니다.
어라운드를 하면서 타인의 눈에서 가짜인 '나'를 만들지 않고
자신의 눈에서 진정한 '나'를 살필 수 있었습니다.

**따뜻한 소통이 무엇인지 보여 주신 개발자분들께
감사드립니다.**
그리고 익명이라는 공간을 서로 마음을 나누는
공감의 마당으로 바꾸어 주신
어라운더분들께도 모두 감사드립니다!

Reply

익명인데도 이렇게
아름다울 수 있다니……
큰 위로를 받고 가요.

남의 시선보다는
나 자신에 대해 아는 게
정말 중요한 거 같아요.

저도 요즘
많이 느끼는 점이네요.

힘들 때 어라운드 5분만
돌아도 언제 그랬느냐는 듯
편안해져요.

익명성의
좋은 점 중 하나.

진짜 공감요.
어라운더들에게서
정말 좋은 향기가 나요.

진실한 마음이 가득한 곳이죠.

언제나 느끼는 건데
어라운드는 따뜻해요.

남의 시선을 신경 안 쓰는
사람들이 부러웠는데 이제는
어라운드를 통해 좋아졌어요.

너무 공감되는 이야기네요.

와! 정말 와 닿네요.
다른 SNS는 타인을 신경 쓰고
그랬는데 어라운드는
저의 솔직한 모습을
보여 주는 거 같아
마음이 편안해지네요.

예쁜 사람들은 사진만
찍어 올리면 30개 이상
'좋아요'를 받는데 내가 글을
쓰거나 해서 받는 '좋아요' 수는
형편없어서 제 마음조차도
쓸 수 없더라고요.

가족,
내가 숨 쉬는 이유

스마트폰이 생기고 전화가 사라지면서
집 안에서조차 서로 문자메시지로 대화하는 경우가 종종 있다고 해요.
'아빠, 나 치킨 먹고 싶은데 엄마한테 말 좀 해 줘.'
'오빠가 고3이라 예민하니까 쇼핑은 우리 둘이 조용히 다녀오자, 딸아.'
대화를 단절시킬 것 같았던 도구가
관계를 회복시키는 도구로 거듭나기까지
우리 가족에게는 어떤 일이 있었을까요?

저도 한때는 한 남자가 인생을 걸 만한
매력적인 여자였습니다.
조금 전 거울을 보고
초라해진 제 모습이 견딜 수 없어서
괜스레 남편이 미워지는 오후입니다.
저는 엄마입니다.

#엄마도 여자입니다

169

아버지가 용돈을 주셨다.
내 나이 스물아홉 살.
난 감사하다고 받았다.
우리 아버지 왈
"니네 엄마, 사탕 사 줘."

"남자는 다 늑대야."
남자 친구 있다는 얘기에 버럭하는 아빠.
"그럼, 아빠는?"
우리 아빠의 대답.
"아빠도 누군가에겐 늑대겠지, 흠."
(feat. #엄마)

엄마가 말씀하신다.
남자 외모 따지지 말고 됨됨이를 보라고.
키 크고 잘생긴 아빠랑 결혼해 놓고.

남편이 불렀다.
"예쁜아!"
딸이 대답한다.
"네."
남편이 말한다.
"엄마 부른 거야."

#순간 #베시시

가족끼리 밥을 먹다가 엄마가 방귀를 뀌었어요.
아빠 숟가락 내려놓고 방으로 들어감.

#식사 중단 #낭패

Reply

우리 엄마 생각나네요!
지금은 문 닫고 들어갈
아빠가 없지만······.
옛날엔 우리 집도
그랬는데······.

엇!
순간 우리 집인가
생각했어요.

우울했는데······
넘겨보다가 터졌네요.

방귀 의문의 1패.

우리 집은 온 식구가 방귀
뀌면 서로 감자 선물한다며
넘어가는데.

아버지 귀여우셔.

우리 집은 방귀로 대화의
장이…….

'아버지는 어머니의 방귀가
싫다고 하셨어!'

아버지는 어머니의 방귀가
사랑스럽지 않은가 보죠.

아버지! 우리 집 콘서트
오세요. 방귀 비트박스 보실 수
있어요. 관람 후 어머니 방귀가
아무렇지도 않으실 거예요.
하하하!

두 달 만에 본 딸.

"엄마"밖에 할 줄 모르던 딸이

"아빠"라는 말을 하면서 안깁니다.

눈물 날 정도로 행복합니다.

작은 것에 행복할 수 있는

지금 이 마음 변치 않길 바랍니다.

Reply

괜히 울컥.

예쁜 사랑이 느껴져요.
저에게도 곧 아기 천사가
찾아오길⋯⋯.

아이의 첫 말, 첫 걸음.
처음을 함께할 수 있다는 게
참 벅차고 행복하죠.

아이를 기다리고 있는데 저에겐
선물이 늦게 도착할 건가 봐요.
너무 부럽네요. 그 마음 변치
마시길. 꼭꼭!

저도 그런 날이 오겠죠? 이제
50일 조금 지나서 '엄마'라고도
못하지만. 떨어져 있어서
일주일에 한 번씩 보는데 아직
실감이 안 나네요.

아, 어쩌다 두 달이나⋯⋯.
두 시간만 못 봐도 눈에
선한데. '아빠'라는 말을 열심히
연습시킨 엄마가 멋지네요.

저도 모르게 상상되는데
너무 행복하네요.

우아! 감동일 거 같아요.
처음 "아빠" 하고 부르는 모습이
얼마나 사랑스러웠을까요?

저도 찡하네요.
내 아이가 나를 불러 주는
감동을 아이를 낳아 보면
알 수 있을까요?
예쁜 사랑, 행복한 가정
잘 꾸려 나가시길. 파이팅!

소름 돋는 이야기네요.
앞으로도 딸을 위해서
열심히 살아가세요.

20년 전 여덟 살 때 돌아가신
부모님께 '엄마', '아빠' 하고
부르고 싶어지네요.

따님이 따뜻한 부모님 슬하에서
마음이 따뜻한 아이로 자랄 거
같아요.

두 달 전에 우리 반 아이의 아버님이 사고로 돌아가셨다.
한 달이 지나고 온 아이는
여섯 살 또래보다 더 커 보였다.
울지도 떼쓰지도 않는 아이가
그림을 그리다 말했다.

"선생님, 내가 비밀 하나 알려 줄까요?"
"뭔데?"

"너무 보고 싶은 사람은
눈을 감으면 만날 수 있대요.
선생님 몰랐죠?"

나는 아무 말도 못했다.
이 말을 담담하게 하는 여섯 살짜리 아이도 안쓰럽지만
이 말을 다정하게 들어 줬을 엄마의 마음이 어땠을지…….

7일 프로젝트,
오늘부터 시작!

월화수목금토일,
눈 깜짝할 새에 지나가는 일주일.
작은 한 가지를 매일 하는 것,
왜 어려운 걸까요?
후유증이 너무 크기 때문이래요.
그런데 그것도 해 봐야 알 수 있어요.
해 보고 후기를 공유하는 거죠.
음, 오늘부터 1일?

먼저, 귀 기울여 주세요

아침에 일어나면 나 자신에게
'나는 소중한 존재야.
나 지금 잘해 내고 있어, 괜찮아.'
이렇게 말해 주기.
다음 주엔 마음이 좀 편안해지겠죠?

7일 프로젝트

누가 물어봐도 이야기할 수 있다.
오늘은 내 업무에 최선을 다했다고.
내일 혼나도 오늘은 나 스스로 아쉽지 않다!

#7일 프로젝트 #하루에 한 가지 칭찬하기 6일째

'하루 물 권장량 마시기.'

세 잔째 마시는 중인데 많이 적응되었다.

(이제 안 마시면 허전함)

(하루 물 권장량 = 자신의 체중×0.03리터)

#7일 프로젝트 #6일째

108배 1일째.

18분 48초 걸렸어요.

명상 음악 틀어 놓고 조명도 좀 어둡게 했더니

마음이 차분해졌어요.

좋은 건 같이 해요.

#7일 프로젝트

이런 거 써도 되나?

치킨 일주일에 한 번으로 줄이기.

농담 아니에요. 진심입니다. 오늘 1일 차.

#7일 프로젝트

프로필 사진 안 보기

연락 안 하기

회상 안 하기

후회 안 하기

잊어버리기

완전히 이별하기

행복하기

석 달째 잊고 살다가 자주 만나던 곳에
들를 일이 있어서 다녀왔는데 흔들리네요.
이제 얼굴이 희미해진 줄 알았는데
꿈에서는 아직 선명해요.
계절 하나가 지나가네요.

#7일 프로젝트

매일매일 잠자기 전에 책 읽기!

프로젝트는 끝났지만 나의 습관 들이기는 계속된다!

참고로 난 아직 미혼. 결혼한 친구들이 늘 부러웠다.

그들은 나에게 말했다.

충분히 놀다 지쳐서 더 이상 하고 싶은 게 없을 때

결혼해도 늦지 않다고…….

결론은 책에서 지혜를 얻는다.

나도 그들도 틀렸다.

지금의 나에게 만족할 때, 비로소 고통에서 해방된다.

미혼이든 기혼이든 이혼이든 고통은 존재한다.

각자가 지금 처한 고통을 서로 교환하는 것일 뿐.

삶이란

모든 것이 그렇다.

#7일 프로젝트 #책 읽기

당신의 솔직한 이야기를 적어 보세요

힘을 내요 프로젝트

필사해 보세요.

처음 보면

어려워 보이게

마련이나

다시 보라.

새로 보일 것이다.

모든 걸 내려놓고
이 페이지에
집중해요.
당신의
현재 가장 큰 고민은
무엇인가요?
솔직하게
가감없이
적어 보아요.

누구에게도
말하지 못했던 고민.
이곳에서는 말할 수 있어요.
이젠 그 고민 털어 놓아요.
여기 누군가
당신을 응원합니다.

04

우리 앞에서는
울어도 괜찮아요

어깨에 짊어진
나의 고민 무게는 몇 kg?

'생각'은 혼자서도 잘하는데
무언가를 '고민'할 때면 항상 누군가 필요해요.
고민이라는 게 대부분 답이 없고 선택을 요구하는 경우가 많잖아요.
그럴수록 어깨에 짊어진 고민 무게를
가까운 주변인에게 무작정 털어놓고 조금 줄여 보는 거죠.
혼자 고민하는 대신 오늘은 누구와
서로의 고민 무게를 덜어 줄지 찾아보는 게 좋겠어요.

먼저, 귀 기울여 주세요

남의 고민은 진짜 잘 들어 주고
해결해 주면서
정작 내 고민은
이러지도 저러지도.

고민

회사 동기가 결국 퇴사했습니다.

좋아서 시작한 일인데 버티기 힘들어서 그만두네요.

사실 저도 요즘에서야 느끼는 게 있는데

좋아하는 일을 한다고 해서 행복을 느끼는 건 아니라는 것.

#고민

어렸을 때 '왜?'는 궁금함이었는데

나이 먹을수록 '왜?'는 한탄, 힘듦을 뜻한다.

#고민 상담

사람들 앞에서는 웃음 가면을 쓰고 있다가

혼자 있으면 가면을 벗고 눈물을 흘리는 거 나뿐인가요?

너무 힘듭니다. 나인 척하는 것에 지쳐 가요, 요즘.

#고민 #고민 상담 #해결책 부탁드려요 #가면 쓴 삶 #나의 모습

가족도 이해 못하는 걸 생판 남이 들어서

이해할 리 없잖아요.

말했다가 이해 못 받으면 오히려 더 괴롭거든요.

#짭쪼롬 스튜디오 #오묘 #생각 #고민

그냥, 눈물이 나요!

항상 겉으로는 강한 척하니까 다들 몰라요!

이젠 그 벽을 깰 수도 없어요. 난 책임이 큰 사람이라서요.

원래 눈물 같은 거 혼자서 흘릴 줄 모르는 사람 같아요.

투정 부려도 안아 주는 사람이 없고

울어도 달래 주는 사람이 없어요!

혹 있더라도 난 늘 혼자서 잘 하는 아이라고 생각하죠.

그러니 매번 혼자서 조용히 눈물 흘린다는 거.

투정은 어떻게 부리는지 몰라요.

오늘만 투정을 받아 줘요!

가끔 혼자 아무도 없이 내 삶을 감당하고

강한 척하는 게 버거워요!

미안해요! 그렇지만 오늘만

그냥 이해해 주고 위로해 주면 안 돼요?

#위로 #고민 상담 #어라운드 #미안해

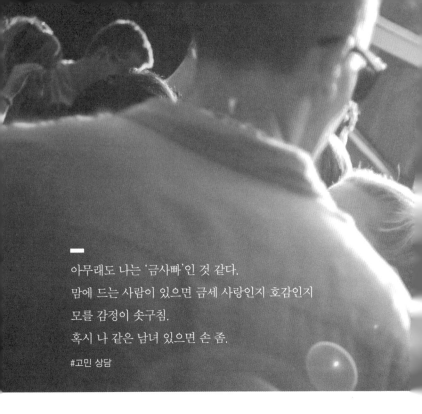

아무래도 나는 '금사빠'인 것 같다.
맘에 드는 사람이 있으면 금세 사랑인지 호감인지
모를 감정이 솟구침.
혹시 나 같은 남녀 있으면 손 좀.

#고민 상담

 Reply

나……. 금방 빠졌다 금방 식고
금세 또 다른 사람에게 호감을
느끼죠. 이러다 진실한 사랑을
할 수 있을지 걱정입니다.
적당히 컵라면같이 금방
뜨거워졌다가 금방 식어 버리는
사랑만 하는 건 아닌지.

공감요. 저한테 조그만 호의를
베풀어도 착각한다는…….

가끔 그런데……. 그런 마음은
금방 사그라져서 천천히
다가가야 할 듯!

나긋이 제 이름만 불러 줘도
설레요. 일종의 금사빠죠.

병원에 진료받으러 가서
조금만 친절해도 두근거림.
너무 외로워서 그런가 봐요.

전 정반대예요.
쉽게 사랑에 빠지지 않고
빠지는 데 오래 걸리다 보니
상대방이 지쳐 먼저 돌아서
버리네요. 오히려 금사빠분들이
부러울 때가 많아요.

지금 여기,
꿈꾸기 어려운 시대

취업하는 건 흔들다리 위를 건너는 일 같아요.
바람 불면 휘청, 다리 밑으로 소용돌이가 휘몰아치는 흔들다리요.
사람들은 떨어지지 않으려고 조심조심 걸어요.
주위 사람을 신경 쓸 겨를도 없이 다리만 보면서요.
목적지는 다리 건너에 있는데 다리가 전부인 양 행동해요.
노심초사하는 모습이 요즘 취업준비생과 너무 닮았어요.

공부하다 보면 하루가
참 짧다는 생각이 든다.
태어나서 이런 적은 처음이다.
시험은 얼마 안 남았고
공부할 건 너무 많다.

#취준생 #토익 #머리 터질 것 같다

197

지방대 학벌에 변변찮은 자격증이 다지만
많은 공모전에 도전했다.
연이은 면접과 그에 따르는 불합격 통보들…….
하지만 좌절하지 않았다.

면접 공부를 하는 중에 아빠가 책 한 권을 주셨다.
일 잘하는 것은 둘째 치고
말을 잘해야 살아남는다는 내용이 있었다.
자소서를 다시 썼다.

두 달 뒤, 대기업에 취직했다.
열정페이에 계약직.
출퇴근 총 네 시간이지만 포기하지 않을 것이다.
난 아직 젊으니까!

#젊음 #취준생 #파이팅

아무것도 안 하고 싶은데 더 격렬하게 아무것도 안 하고
싶은데 막상 아무것도 안 하면 안 될 거 같다.

#취준생

면접 보고 집에 와서 낮잠을 잤는데 꿈에서도 면접을 봤다.
노이로제 걸릴 것 같다······.

#취준 #취준생 #면접

세 시간 걸려서 온 면접 장소.
15분 면접 후 다시 세 시간 걸려서 집으로 간다.
아무런 소득이 없을지도 모른다는 생각에
발걸음이 무거워진다.

#취준생 #면접 #집에 가는 길

식비 아낀다고 도시락 싸 들고 다니는데 아침에 김이
모락모락 나던 밥이 점심쯤 되면 찬밥이 되어 있네요.
찬밥 먹는 건 상관없는데 빈 강의실에서 홀로 먹는
모습이 너무 가여워요. 그래도 이렇게 열심히 사는 모습이
사랑스럽기도 해요. 이번에는 꼭 취직했으면 좋겠어요.
내 자신이 더 이상 상처 안 받았으면 좋겠어요.

#취준생

최종면접에서 불합격했어요.

한동안 조용히 있다가 가족에게 알리고 엄마가 사다 준

아이스크림을 먹고 나서 아빠와 함께 저녁을 먹었죠.

제가 먼저 운을 뗐어요…….

"인재상이 나랑 안 맞는 것 같아. 독하고 당찬 사람을

원하는데 나는 좀 유해 보이잖아."

죄송한 마음에 나름의 변명을 했어요.

그러자 온 가족이 그 기업 흉을 보더라고요.

직무 비전이 좋다고 말씀하셨던 아버지는 거기 다니다가

과로로 쓰러진다고, 어차피 붙어도

안 보낼 참이었다고 하네요.

제가 면접 본 걸 동네방네 자랑하셨던 엄마도 힘들어서

어떻게 다니느냐고, 맨날 야근시키는데 우리 딸 고생하는

건 싫대요. 언니도 너의 꿈은 따로 있지 않느냐며 그 기업

웃기대요, 인재를 놓쳤다면서……. 우리나라에서 가장 좋은

기업 중 하나인데 온 가족이 저 때문에 욕을 하네요.

그런데 말이에요, 왠지 마음이 따뜻해져요.

행복해요, 고마워요, 더 열심히 할게요,

우리 가족을 위해서!

#취준생 #하소연 #힘내자 #가족

파랑새를 찾아요

"나 이직할 거야."
말로 내뱉는 순간 마라톤에 도전한 사람이 된 기분이 들어요.
여기저기서 응원의 말, 위로의 말이 들려와요.
그만두고 싶은 마음이 백 번 천 번 들지만
끝까지 달려야 하는 이유를 찾아요.
어쩌다 포기하고 싶은 마음이 들면
낙오자가 되지 않기 위해 다시 이를 악 물어요.
목표는 완주니까요. 나만의 파랑새를 찾을 때까지.

이곳을 나가기로 했다.

지옥과 같은

이곳에서 나가면 되는 줄 알았다.

어째서 알지 못했을까?

바깥이 더 전쟁터인 걸.

#사회생활 #이직준비 #백수

203

—

인생을 순종적으로만 살아와서 그런가
성취감이 드는 일을 한다는 소박한 마음에
첫 직장에서 지금까지 7년째 붙어 있네요.
그런데 이직, 그것이 궁금해요.
이직해 보니 전 직장보다 낫던가요?
아니면 그 나물에 그 밥인가요?

#이직

Reply

결국 몸과 마음이 지치고
힘들어서 그만두고 싶은 거
같아요. 그런데 전 '그때가 더
좋았구나, 더 열심히 할걸'
하는 생각을 했어요. 사람마다
다르겠지만요.

다른 분위기 속에서
스트레스받아 보는 것도 나쁘지
않아요. 근데 7년 다니셨으면
이직을 실행에 옮기는 데 엄청난
용기가 필요하시겠어요.

직장 생활은 어딜 가나
매한가지입니다.
이상한 놈 한두 명씩 꼭 있고
업무는 끝이 없으며
연봉은 잘 안 오르죠.

그 나물에 그 밥이네요. 상황은
바뀌어도 스트레스는 그대로.

더 좋긴 한데요. 솔직히
그 나물에 그 밥이에요.

이직할 때의 일입니다.

이력서를 내고 면접을 기다리는데 전화가 왔어요.

한번 만나서 이야기해 보고 싶다고.

그때 다니던 직장이 하루는 8시 반

하루는 6시 퇴근이라

퇴근 후에나 면접이 가능했지요.

마침 연락받은 날이 8시 반 퇴근이었고

다음 날 다른 곳 면접이 있어서

다음 주에 면접 봐도 되겠느냐고 정중히 물었어요.

그랬더니 면접관이

제가 퇴근할 때까지 기다리겠다고 하는 거예요.

그러고는 약속 장소를 정하고 퇴근할 때까지 기다렸어요.

이력서와 전화 목소리만 듣고는 보고 싶다고 온 거예요.

알고 보니 지금 일하는 연구소의 소장님이었죠.

너무나 고마운 마음에 만나 뵙고

'아! 이분이다' 하고는

다음 날 면접을 취소하고

이곳에서 열심히 배우며 일하고 있습니다.

나를 알아주는 사람이 있다는 건

정말 큰 기쁨이자 고마움입니다.

#고마움 #이직

누구나 포기하고
싶을 때가 있어요

어려워서 포기하는 경우도 있지만
당신이 포기하고 싶은 건
그 길이 진정으로 원하는 것이 아니기 때문일지도 몰라요.
원하지 않는 길이라면, 행복하지 않다면 포기해야죠.
다만 포기하기 전에 스스로에게 한번 물어보세요.
진정 원하는 길인지 아닌지 말이에요.
내 삶의 가치, 내가 느끼는 행복의 정도를
다른 사람이 판단할 수는 없어요.

버틴다는 것
진짜 진짜 용기 있는 일이다.
언니가 그랬다.

#포기하지 않는 것

내 나이 아직 스물여덟. 두 아이의 엄마이자 한 남자의 아내.
날 포기하고 살기에는 너무나 눈물 나지만 그래도 내 옆에
아이들 커 가는 재미와 알게 모르게 사랑해 주는 신랑 보는
재미에 오늘도 나를 포기하고 그들을 위해 산다.

#우리 엄마도 #나처럼 #포기하고 #살았겠지? #엄마한테 잘하자

우리나라 사람들은 너무 미래를 위해
현재를 포기하는 거 같다.

#너무 #현재를 #포기하지 마세요

터널 같은 어둠 속에 갇혀 있어도
계속 그 길을 걷다 보면 빛이 보인다.

#포기하지 말고 #계속 #걸어가요

진짜 포기하는 순간이 언제 찾아오는 줄 알아?
친구들이 '네가 과연 할 수 있겠어?' 하고 비아냥거릴 때?
부모님이 '넌 안 돼' 하고 믿어 주지 않을 때?
아냐, 진짜 포기하는 순간은 너 자신이 "역시 난 안 돼" 하고
수긍하는 순간이야.

#난 할 수 있어

난 자신 있는데 날 받아 주는 회사가 없었어요.

그래서 날 받아 주는 회사를 만들었어요. 내가 사장인 거죠.

2012년에 설립. 자본금 50만 원. 지금은요-교육청 지정

진로체험처 등록-교육부 지정 청소년 진로 강사-교육부

발간 진로 도서 집필-청소년 지도 위원장-도단위 사회단체

사무국장-칼럼니스트-취미로 했던 작곡이 소니뮤직으로

발매. 마지막으로 1월 매출 1억 3천만 원.

당신의 값어치는 당신이 제일 잘 알아요.

남들의 평가에 자신을 맞추지 마세요.

당신은 유일무이한 대체 불가능 자원입니다.

#청춘

힘차게 달리기하다가 넘어진 적 있나요?
그때 당신은 다시 땅에 손을 짚고 피 나는 무릎과
삔 발목을 하나둘 일으켜 세우며 걱정하는 이들의 마음을
가슴에 담고 목적지로 향했겠지요.

당신은 그런 사람이에요.
넘어지면 다시 스스로를 일으켜 세울 수 있는.
당신은 그런 사람이에요.
넘어져도 포기하지 않고 끝내 목적지로 달려가는.

#시 #은하s #포기하지 말아요

더위와 추위에도
아랑곳없는

신기하게도 계절이 달라져도
변하지 않는 게 있어요.
봄, 여름, 가을, 겨울 매년 반복되는 이야기가 있어요.
바로 직장인들이 밤마다 포장마차에서 쏟아 내는 이야기.
'직장인 썰'은 아랑곳없어요.
계절을 안 타죠.

먼저, 귀 기울여 주세요

그냥 그랬으면 좋겠다.
저녁 8시 즈음 누구 하나 약속하지
않아도 맥주 한 캔 들고 나와서 마주 앉아
소소하게 얘기 나누는 그런 거.
물론 지금은…….
#퇴근이 제일 간절하지만

대표님과 잠시 이야기를 나누다 순간 욱할 뻔했다.
월급 제때 주는 게 좋은 회사라고요?
그건 회사의 당연한 책임인데요.

#직장인 썰

나한테 일을 다 떠넘긴 선배가 '칼퇴'하면서
야근하는 내게 하는 말.
"적당히 해, 누구한테 잘 보이려고?"

#직장인 썰

야근과 철야가 너무 싫어서 디자인 회사를 때려치웠다.
그리고 게임 회사로 이직해 주말 출근을 하고 있다.
이직 실패!

#직장인 썰

언젠가는 지옥철 타면서 출근하는 게 꿈이었는데
지금은…….
나이 쉰 살 정도 돼서 면직당하면 계속 다닐 수 있을까?
그때 나가면 무슨 일을 할 수 있을까?
영어 공부하면서 자격증을 따야 하나?
무슨 자격증을 따지?
뭘 해야 할까?

반복되는 고민과
잃어버린 길 위에 있는 느낌이
너무 싫다.

#직장인 썰

옆에 있는 사람에게
지금 말해 보기

퇴근하는 길에 입이 심심해서 편의점에 들러
맥주 한 캔과 과자를 사서 집에서 마셨어요.
예능 프로그램도 보면서 말이죠.
웃느라 정신없었는데 개운하지 않더라고요.
그때 전화가 한 통 왔어요. 엄마에게서 온 전화였어요.
"오늘도 수고 많았지? 얼른 자, 내일 출근해야지."
엄마와의 통화가 끝나고 그대로 곯아떨어졌어요.
아침까지 정말 푹 잘 수 있었어요.
말이 주는 힘이란 게 이런 건가 봐요.

남들한테는 그렇게 잘해 주는데
나한테는 항상 무관심.
이제 나 자신을 위해 살아야지.

수고했어. 오늘도

221

양치랑 세수만 하고 얼른 침대에 뛰어들 거야.

그리고 푹 잘 거야.

내일 하루도 잘 버틸 수 있도록.

아주 푹.

#고단했던 하루 #수고했어, 오늘도

왜 항상 힘든 일은 한꺼번에 찾아오는지…….
이 순간이 빨리 지나갔으면 좋겠다.
그냥 내가 옳다고, 내가 잘했다고 꼭 안아 주면
정말 하염없이 울 것 같다.

#힘든 일 #위로 #수고했어, 오늘도

아직도 살날이 많이 남았는데
오늘 하루 깨진 것 가지고 의기소침하지 않기.

#수고했어, 오늘도

아가들 재우고 와이프와 둘만의 시간!
오늘 하루 피로가 싹 녹네요.

#시간아 멈춰라 #수고했어, 오늘도

행복을 알아차리는
사인Sign

들리나요?
'심장 뛰는 소리'
쌔근쌔근 아기처럼 뛰는지
쿵쾅쿵쾅 오디션을 앞둔 사람처럼 뛰는지
한번 들어 보세요.
그게 바로
'나 지금 행복해요'라고 말하는 소리니까요.

남들이 별로라고 했던 영화를 봤다.
남들이 맛없다고 한 음식점에 갔다.
영화는 재밌었고 음식은 맛있었다.
행복의 기준은 남들이 아니다.
내가 행복해야 진짜 행복한 거다.

#행복의 #기준은 바로 #나

커피 한 잔에 초콜릿 하나만 있어도
작은 행복을 느낄 수 있으니 참 신기한 일이다.
이 글을 보는 누군가도 작은 행복을 느낄 수 있기를.

#행복하자

우리 남편 심장 소리 너무 섹시하고 좋아서 듣다가
잠깐 잠들어 버렸는데
남편이 30분 동안 안아 줬다네요.
너무너무 행복해요.

#남편 #남편 심장 소리 #행복해

너무 공감되는 글귀.
'외부의 기준에만 맞추면 스스로의 행복을 모르게 된다.'

#행복

이 글을 본 사람은 누구나 행복하고
즐거운 하루 보내라! 얍!

#행복 주문

직장 동료와 비밀 연애를 시작했어요. 아무도 모르게
비밀리에 하는 연애 설레고 좋네요. 처음 사람들이 알아챈 날
기분은 또 어떨지……. 그래도 좋은 인연으로 시작한 만남
예쁘게 좋은 만남으로 이어갈 겁니다.
다들 사랑하세요. 행복해집니다.

#비밀 연애 #연애 #직장 동료 #인연 #만남 #행복

아무도
아무것도 없는
사막에서
밤하늘 별 보기.

계속 보기
밤새도록.

저는 고등학교 2학년 학생입니다.

새벽에 공부하다가 거실로 나왔는데

엄마가 자고 있었어요.

생각해 보면 저는 엄마가 잠든 모습을

제대로 본 적이 없는 것 같아요.

엄마가 아기처럼 곤히 잠든 모습을 보고

엄마도 아직 어린 소녀고, 누군가의 소중한 딸이고

엄마이기 전에 여자로서의 인생이 있다는 것을

다시 한 번 느꼈어요.

항상 딸을 위해, 가족을 위해 엄마라는 이름으로

아름다운 소녀와 여자가 되기를 포기하는 엄마를 보니

눈물이 흘렀습니다.

곤히 잠든 엄마의 손에 뽀뽀를 하고

방으로 돌아와 어라운드를 켰습니다.

저희 학교는 기독교 학교라서 매주 채플을 해요.

저는 기독교인은 아니지만

기도할 때마다 한 가지 기도만 합니다.

엄마가 행복하게 해 주세요.

저로 인해 더 행복하게 해 주세요.

이 말만 가슴속으로 되뇌어요.

엄마, 이 말로도 제 진심을 전하기는 너무 모자랍니다.
사랑합니다. 감사합니다.
건강하게 제 곁에 오래 있어 주세요.

#엄마 #사랑해 #건강하세요 #행복하세요 #나로 인해

난 조울증 환자다.

20대 후반인 난 내 발로 병원에 다녀왔다.
현재 부부가 모두 공무원으로 일하고
집과 차, 아이까지 있지만 한동안 행복하지 않았다.
내일도 병원에 가서 약을 타 와야 한다.
완치란 없다. 지속적으로 약을 복용해야 한다.
조울증은 조증과 우울증의 복합어.
행복하면 조증처럼 느껴져 두려웠다.

그런데, 이젠 알 것 같다.
사소한 것에서 행복을 느껴야 한다는 것을.
내 욕심을 챙기기보다 봉사나 기부를 통해
보람을 얻어야 한다는 것을.

#행복이란

간절히 바라면
이루어지는 곳

이상하죠?
"힘내라고 해 주세요" 하면
"힘내요" 해 주는 곳.
괜찮지 않나요?
아무것도 묻지 않고
그렇다고 장난스럽지도 않게
"힘내요" 해 주는 곳.
그런 곳이 있어요.
대나무 숲 같은 그런 곳.

당신 탓이 아니에요.

인연이 아닌 거예요.

자책하지 말아요.

당신은 좋은 사람이에요.

당신을 알아봐 주는 사람을

꼭 만날 거예요.

#위로 #이별 #나에게

길에서 우는 여자에게 할아버지가 물었다.

"아가씨, 왜 그렇게 서럽게 울고 있어?"

울던 여자가 대답했다.

"사랑하는 사람을 잃었어요."

그러자 할아버지가 말했다.

"아가씨는 자기를 사랑하지 않는 사람을 잃었지만

그 남자는 자기를 사랑하는 사람을 잃었는데

아가씨가 울긴 왜 울어?"

#위로 #울지 마요 #적어도 #당신은 사랑을 했으니까

오늘은 그냥 위로받고 힘을 얻고 싶은 날이에요.

다 괜찮다고 토닥토닥 그렇게 해도 된다고…….

그런 말이 듣고 싶어요…….

#힘을 줘요 어라운드

게으름이 부른 대참사. 누굴 탓합니까. 제 잘못이죠.

그래도 가끔은 "괜찮아, 실수했으니 다음번에는 정신 차리고

제대로 할 수 있어. 다시 시작하자"라며 위로받았으면 해요.

#위로

취직이 안 되나요?

시험에 떨어졌나요?

연인과 헤어졌나요?

그래요, 사는 게 만만치 않아요.

하지만 이것 하나만 기억해요.

당신은 아직 긁지 않은 복권이란 걸.

당신이 1등일 수도 있어요.

뜻밖의 위로를
받아 본 적 있나요?
저는 네 살짜리 아이가 갑자기 안아 주며
"선생님 마음에는 별이 있어요.
나를 사랑하는 별!"
아빠가 자기한테 해 준 말이라고…….
어떤 위로가 따뜻했는지 궁금해요.

#위로 #힘을 내요

Reply

"난 온전히 네 편이야,
누가 뭐래도 네 편!"

"많이 외로웠지?"
단순한 말일 수도 있는데
이 한마디가 엄청 큰 위로가
됐어요! 그 말을 듣고 순간
울컥하면서 펑펑 울었어요.

아무 말 하지 않고 날 보며
씩 웃어 줬던 거요. 눈빛에서도
다 안다고 힘내라고 하는 마음이
느껴졌거든요. 제가 어떤 말을
하지 않아도 표정만 보고도
기분을 생각해 주고 배려해 주는
것 같아 정말 고맙고 위로가
됐어요.

너무 예쁜 아기네요!

"예쁘다."
너무 예쁜 말이에요.

저는 친구가 "우아! 네가 그 일을
하는 거 얼른 보고 싶다. 진짜
잘할 거 같아"라고 말한 거요!

알바하던 가게에 놀이방이
있었는데 놀이방에 놔 둔 겉옷을
가지고 나가려 할 때 놀이방에서
놀던 꼬마 숙녀분께서 "밤이니까
어두워요, 조심히 가세요" 하고
말해 주더라고요. 힐링이랄까.
힘든 게 싹 가시더라고요.

"괜찮아, 너한텐 이 엄마가
있잖아……" 눈물 참느라
혼났더랬죠.

나를 싫어하던 상사가 사실은
나를 제일 많이 걱정해 주고
많이 생각해 준다고 느꼈을 때,
위로받은 건 아니지만 뭔가 되게
뭉클했어요.

방금 지하철에서 서럽게 울면서 훌쩍거리던 언니!
포스트잇에 '울지 마요',
너무 서럽게 울길래 '다 잘 풀릴 거예요!'
이렇게 쓰고 밀키스에 붙여서 쥐여 주고 왔다.
잘한 거겠죠? 언니 울지 마요!

#위로 #힘내세요 모두 #파이팅

 Reply

멋져요, 멋져요.
본받아야겠어요!

마음이 예뻐요.

아직은 살 만한 세상인가 봐요.
요즘 다들 이기적으로 변해 가는데
그래도 이렇게 맘이 예쁜
사람들이 계시니까…….

240

나도 역 앞에서 서럽게 우는데
어떤 남자분이
"담배 줄까?" 이러셨…….

우는 사람이 있으면 다들
이상하게 쳐다보고 지나기
일쑤인데 정말 멋지세요!

미래 일기를
권합니다

'꿈'이라고 하면 너무 거창하고
이루어질 수 없을 것만 같아요.
'미래'는 모두에게 오잖아요.
다가올 미래에 성실히 대비해야 하고요.
어제의 미래인 '오늘'을 만족스럽게 보냈다면
오늘의 미래인 '내일'이 조금 더 만족스러울 수 있도록
한번 써 볼까요?

먼저, 귀 기울여 주세요

동료 연구원들과 수년간 노력하여
그 병을 치료할 수 있는
약을 최초로 개발했다.
이제 더 이상 불치병이 아니에요.
여러분, 저희가 치료해 드릴게요.
아프지 말아요.

\#미래일기

3년 후를 상상해 본 적 있나요?

어떤 내가 되어 있을까요?

어떤 모습이면 좋겠나요?

3년 후 내 모습을 상상하며…….

#미래 일기를 돌려주세요. 어라운더의 3년 후는 어떤 모습인가요?
#미래 일기 #제발 이루어지기를

Reply

존경받는 예술가가 되고
싶어요.

예쁜 아이를 가진 행복한 엄마.

대한민국 경찰관으로
'경찰의 날' 표창을 받는 성실한
일꾼이 되어 있을 겁니다.

불꽃 독수리 슛을 완성시키고야
말겠어!

3년 뒤라······. 그때 난 어떻게
변해 있을까? 내년엔 농민
사관학교를 졸업하고, 안전한
먹거리 생산에 좀 더 치중해
건강한 포도를 수확하고,
포도 농사를 지으면서 체험이랑
농가 맛집을 하려 분주히
움직이고 있지 않을까?

병원 실습 다니면서 재활 공부를
하고 슬슬 국시 생각을 해야
하는 본과 3학년.

스물일곱 이맘때면 대학교를
졸업하고 미국 발레단에 들어가
겨울을 보내고 있겠지?
아참, 편입은 성공했니?
곧 있을 편입에 떨어져도
미국은 꼭 가자!

결혼을 준비하고 있을
것 같아요. 지금은 신입
쭈구리지만 3년 뒤에는
직장에서 내 목소리를 내고
있을 것 같네요.

안정적인 공무원이 되어
공부하느라 못했던 취미 생활과
음악 생활을 하면서 사랑하는
사람을 만나 알콩달콩 결혼을
준비하고 하루하루 웃음이
끊이지 않게 살고 있을 것이다.
가족과 주위 사람들도 건강하고
행복한 일만 가득할 것이다.

소방관으로 화재를 진압하고
있을 것이다.

외국 유명 호텔 셰프로 일하는 중에 나의 요리를 맛보고
나를 만나 보고 싶다는 손님이 있었다. 손님이 물었다.
"중국인이신가요? 아니면 일본인?"
내가 대답했다. "한국인입니다."
"멋지네요."

#미래 일기 #제발 이루어지기를

Reply

이렇게 확실한 꿈이 있다니!
앞길이 흐리멍덩한 저로서는
너무 부럽네요. 꿈을 가진 이상
분명 성공하실 겁니다!

내가 다 기분이 좋네요.

크흡, 꿈에 1km 더
가까워지셨습니다.

셰프가 나오는 프로그램을
기획할 건데요. 나와 주실
거죠? 히히!

유학생인데 진짜 공감돼요.
누군가를 만나면 다들
"중국인?" 아니면 "일본인?"
하고 물어요.
"I'm Korean"이라고 말할 때
행복하고 자랑스럽습니다.

헐, 순간 눈물 날 뻔했네요.
지금도 충분히 멋있습니다.
그 꿈 꼭 이루시길!

기립 박수를 치고 갑니다.
짝짝짝짝!

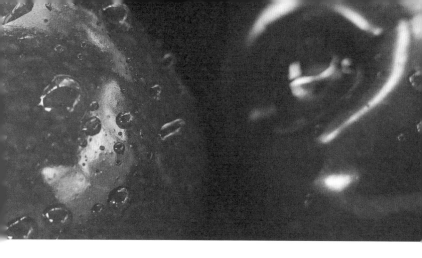

정말인 줄 알았어요.
글만 읽어도 이렇게 자랑스럽고
훌륭해 보이는데 현실이면
얼마나 멋있을까요?
그 음식 저도 맛볼 수 있게
얼른 꿈을 이루셨으면!

그 꿈 꼭 이루셨으면 해요.
미래 일기가 아닌
오늘의 일기가 되길!

한국 요리의 미래를 책임질
멋진 분!

'제 친구도 셰프가
꿈이에요!'라는 댓글을 달고
싶었는데 너였다니…….
자랑스럽다, 친구야.

저는 초등학교 교사예요.
우리 서로 힘내요!

엄마가 드디어 암 완치 판정을 받았어요.

기념으로 가족들과 함께 엄마가 줄곧 가고 싶다고 노래하던

하와이로 여행 왔습니다. 와이키키 해변이 너무나

아름다워요. 에그앤띵스(Eggs'n Things)는

언제 먹어도 맛있네요.

무엇보다 밝게 웃는 엄마 모습에 더할 나위 없이 행복해요.

#엄마 사랑해 #미래 일기 #제발 이루어지기를 #엄마 병원 가는 길

Reply

미래 일기…….
꼭 이루시길!
매일매일 간절히 빌게요.

곧 현실이 되었으면 좋겠어요.
기도할게요.

인생 고비 넘기셨으니
이제 행복한 일만 남았네요!
오래 행복하세요.

우리 엄마도 빨리
완치됐으면 좋겠네요.
아직 3년 남았어요.

마지막 태그 보고 울컥했어요.
엄마 병원 가는 길에
어떤 심정으로 이 글을 썼을지
알 것 같아서…….
곧 현실이 될 겁니다,
힘내세요!

아, 진짜 태그 보고 가슴 한편이
아렸어요. 꼭 완치될 거예요.
정말 기도할게요.

우리 엄마도 암이었는데
완치 판정받았어요. 예전에는
몰랐던 엄마의 소중함을
깨달았습니다.
어머니랑 가끔 데이트도 가고
옆에 있어 주세요.
건강하시길 바랍니다!

우리 엄마도 작년에 재발
진단받고 수술하셨는데…….
좋은 일 있기를 응원합니다.
미래 일기처럼 이루어지길
바랄게요!

우리 엄마도 자궁암 수술한 지
7년이 다 되었어요.
항상 가족이 최고라는 걸
느낍니다.

영화가 끝나고 영화관을 나오는데
옆에 있던 학생이 인생 영화라고 방방 뛰며 좋아한다.
그 영화, 제가 만든 겁니다.

#미래 일기 #제발 이루어지기를

Reply

그 영화 포스터
제가 만든 겁니다.

그 영화,
제가 투자한 겁니다.

와! 저랑 같은 미래네요.
가끔 그런 생각을 하는데
생각할수록 꿈에 한 발짝
다가갔다는 마음에 기분이
좋네요.

순간 '우아, 진짜?' 이랬다가
미래 일기구나 했어요.
꿈이 이루어진다면 정말 가슴
벅차겠어요. 파이팅, 감독님!

뒷줄에 앉은 관객의 말은
못 들으셨나요?
완전 극찬하고 영화관을
나가지 못하던 그 관객…….
바로 저랍니다! 멋진 영화
많이 만들어 주세요!

멋있는 감독님이 되길
바랄게요!

영화라…… 만드시느라 수고
많으셨습니다! 꿈이 배우인데
언젠가 당신이 만드는 영화에
출연해 보고 싶네요.

그 기분 팔아요, 저에게.

간단한 문장에서 임팩트가
느껴져요. 만드는 영화도
문장처럼 간단명료하게!

나는 오늘 인생 영화를 봤다.
학생 코스프레를 하고 갔는데
옆에 내가 본 영화의 감독님이
있기에 더 신나게 떠들었다.

일기 한번 잘 쓰시네요.
영화도 잘 만드실 듯!

당신의 솔직한 이야기를 적어 보세요

마음 필사 프로젝트

필사해 보세요.

세 번 쓰면
반드시 이루어진다.

세 번 쓰면
반드시 이루어진다.

세 번 쓰면
반드시 이루어진다.

지금 나에게
가장 간절한 걸
적어요.
펜을 들고
당신의 소원을
세 번 적으세요.
온 우주가
도와준다는 말을
진짜 증명해
보는 거예요.

오늘,

내 마음을
읽었습니다

2016년 09월 23일 초판 01쇄 발행
2016년 11월 15일 초판 04쇄 발행

—

글	어라운드 엮음
본문 사진	Unsplash
표지 사진	Getty Images Bank

—

발행인	이규상
단행본사업부장	임현숙
책임편집	이소영
편집팀	이소영 박혜정 윤채선 정미애
디자인팀	장주원 장미혜
마케팅팀	이인국 최희진 전연교 김새누리

—

펴낸곳 (주)백도씨
출판등록 제300-2012-170호(2007년 6월 22일)
주소 03043 서울시 종로구 자하문로 58 강락빌딩 2층(창성동 158-5)
전화 02 3443 0311(편집) 02 3012 0117(마케팅)
팩스 02 3012 3010
이메일 book@100doci.com(편집·원고 투고) valva@100doci.com(유통·사업 제휴)
블로그 http://blog.naver.com/h_bird 나무수 블로그 http://blog.naver.com/100doci
페이스북·인스타그램 100doci

—

ISBN 978-89-6833-106-0 04810
      978-89-6833-105-3 (세트)
©어라운드, 2016, Printed in Korea

진심을 전합니다.

To

진심을 전합니다.

오늘, 내 마음을 읽었습니다 | 허밍벌드

서툴러도,

사랑을
멈추지 말아요

오늘은,

여기서
조금 쉬다 가요